CLASSIQUES LAROUSSE

Colle

LÉON LEJEALL

LA CHANSON
DE ROLAND

II

Laisses 160 à 291

en français moderne, accompagné de nombreux passages
du texte original pourvu d'un commentaire philologique
et grammatical, avec une Notice historique et littéraire,
un Lexique, des Notes explicatives, une Documentation
thématique, des Jugements et un Questionnaire,

par

GUILLAUME PICOT

Agrégé de l'Université

texte intégral

LIBRAIRIE LAROUSSE

17, rue du Montparnasse, 75298 PARIS

LA CHANSON DE ROLAND

LA BATAILLE (suite)

LA MORT DE TURPIN

vers 2146-2163

Texte.

    Paien dient : « Si mare fumes nez!
    Cum pesmes jurz nus est hoi ajurnez!
    Perdut avum noz seignurs e noz pers;
    Carles repeiret od sa grant ost, li ber;
  5 De cels de France odum les graisles clers;
    Grant est la noise de « Munjoie! » escrier.
    Li quens Rollant est de tant grant fiertet
    Ja n'ert vencut pur nul hume carnel.
    Lançuns a lui, puis sil laissums ester. »
 10 E il si firent, darz e wigres asez,
    Espiez e lances e museraz enpennez;
    L'escut Rollant unt frait e estroet
    E sun osberc rumput e desmailet;
    Mais enz el cors ne l'unt mie adeset.
 15 Mais Veillantif unt en XXX lius nafret
    Desuz le cunte, si l'i unt mort laisset.
    Paien s'en fuient, puis sil laisent ester.
    Li quens Rollant i est remés a pied.

Traduction.

Les païens disent : « Nous sommes nés destinés au malheur!
Quel jour néfaste s'est levé aujourd'hui pour nous! Nous
avons perdu nos seigneurs et nos pairs; Charles revient avec
sa grande armée, le vaillant. De ceux de France, nous entendons les clairons qui sonnent clair; grand est le tapage du
cri : « Monjoie! » Le comte Roland est de si fière audace
qu'aucun mortel[1] ne saurait le vaincre jamais. Lançons
contre lui nos flèches, puis laissons le champ libre. » Et
c'est ce qu'ils firent, avec force dards et flèches, épieux et
lances et javelots empennés; le bouclier de Roland, ils l'ont
brisé et percé, ils ont rompu et démaillé son haubert; mais
sur le corps ils ne l'ont pas atteint. Mais sous lui ils ont
atteint Veillantif de trente blessures et l'ont abattu mort.
Les païens s'enfuient et laissent le champ. Le comte Roland
est resté, démonté.

---

1. Traduction de *hume carnel* : voir la note 1 de la laisse 159.

© *Librairie Larousse*, 1972.   ISBN 2-03-870025-7

Commentaire philologique et grammatical.

Vers. 1. — *Si* : « tellement » (cet adverbe apparaît dès le IXᵉ siècle). Il vient du latin *sic*. — *Mare*, écrit parfois *mar*, signifie « malheureusement ». Il vient de *mala hora* devenu *maora*. On peut traduire *si mare* par « bien à la male heure ». — Du point de vue de la versification, remarquez que *païen* compte pour deux syllabes, comme toujours dans ce manuscrit ; pourtant il arrive qu'il soit écrit *paiien*. Il semble qu'il y ait eu une influence de *chrestiien* sur *païen*.

Vers 2. — *Pesmes* vient phonétiquement de *pessimus*. — *Hoi, hui, ui* : « aujourd'hui », adverbe de temps qui vient de *hodie*.

Vers 5. — *Odum* : « nous entendons » ; ce mot vient de *audimus*, mais il y a eu substitution de *omus* à *imus ;* la suppression du *s* final est un phénomène anglo-normand.

Vers 6. — *Noise* : « bruit, tapage ». Le mot a vécu du XIᵉ au XVIIᵉ siècle. Il vient du grec *nausea* (*naus* : « navire ») signifiant « mal de mer ». Le dictionnaire de l'Académie de 1694 signale le mot comme nom féminin avec le sens de « querelle, dispute ». — Il faut ainsi comprendre le vers 6 : « le bruit provenant du fait de crier « Monjoie! » »

Vers 9. — *Lançuns a lui* : « lançons des projectiles contre lui! »

Vers 10. — *Si firent* supplée le verbe précédemment exprimé *(lancer)*. — *Darz :* « aiguillon ». Le mot vient du francique *darod* (anglo-saxon *darodh*, ancien allemand *tart*). Au XVᵉ siècle apparaît un nom féminin *darde* signifiant « javelot ». — *Wigres :* « flèches » ; c'est une forme altérée de *guivre*. Le mot vient du latin vulgaire *wipera*, qui a subi une influence germanique.

Vers 11. — *Espiez*, pluriel de *espiet, espieit*. Le mot a vécu du XIᵉ au XIIᵉ siècle. On trouve aussi les formes *espiel, epieu*, « lance, broche, épieu », d'origine germanique (allemand *Spiess* : « épieu »). — *Museraz :* « javelots ».

Vers 12 — *Frait :* « brisé » (vient de *fractum*).

Vers 14. — *Adeset*, participe passé passif du verbe *adeser*, « toucher à », venant soit de *ad-densare*, soit de *ad-haesare*.

Vers 16. — *Laisset* pour *laissiet :* le manuscrit réduit *ie* à *e :* particularité phonétique de l'anglo-normand.

Vers 17. — *Ester*, du latin *stare*, précédé du *e* populaire, signifie « être tranquille ». Le mot a vécu du XIᵉ au XIIIᵉ siècle. La locution *laissier ester* signifie « laisser là, en rester là ».

Vers 18. — *Remés :* participe passé passif du verbe *remaindre*. *Remansum* a donné *remé ;* remansus a donné *remés*.

━━━━━━━━━ **QUESTIONS** ━━━━━━━━━

SUR LA LAISSE 160. — Quel sentiment gagne progressivement les Sarrasins? Par quels moyens le poète rend-il sensible l'approche continue de l'armée de Charlemagne? — Pourquoi avoir imaginé que Roland n'est atteint d'aucune blessure, tandis que son cheval est frappé à mort? — Puissance de l'image évoquée par le dernier vers de la laisse.

● SUR L'ENSEMBLE DES LAISSES 156 à 160. — La tension dramatique de ces derniers moments de combat. — Comment l'approche de Charlemagne accroît-elle d'instant en instant la panique des Sarrasins, mais aussi leur désir d'en finir avec Roland? En quoi cette arrivée des Français donne-t-elle aussi à Roland plus de courage que jamais? — Ce combat est-il finalement une victoire pour Roland? Son orgueil peut-il être satisfait?

vers 2164-2183

Texte.

Paien s'en fuient, curuçus e irez;
Envers Espaigne tendent de l'espleiter.
Li quens Rollant nes ad dunt encalcer :
Perdut i ad Veillantif, sun destrer;
5 Voeilet o nun, remés i est a piet.
A l'arcevesque Turpin alat aider.
Sun elme ad or li deslaçat del chef,
Si li tolit le blanc osberc leger,
E sun blialt li ad tut destrenchet;
10 En ses granz plaies les pans li ad butet;
Cuntre sun piz puis si l'ad enbracet;
Sur l'erbe verte puis l'at suef culchet.
Mult dulcement li ad Rollant preiet :
« E! gentilz hom, car me dunez cunget!
15 Nos cumpaignuns, que oümes tanz chers,
Or sunt il morz, nes i devuns laiser.
Joes voell aler querre e entercer,
Dedevant vos juster e enrenger. »
Dist l'arcevesque : « Alez e repairez!
20 Cist camp est vostre, mercit Deu, vostre e mien. »

Traduction.

Les païens s'enfuient, pleins de courroux et de rage. En direction de l'Espagne ils vont en toute hâte. Le comte Roland ne s'est donc lancé à leur poursuite : en l'affaire il a perdu Veillantif, son coursier; bon gré mal gré, il est resté sur place, démonté. Auprès de l'archevêque Turpin il est allé, pour l'aider. Son heaume paré d'or il le lui a délacé, il lui a enlevé aussi le blanc haubert léger, de son bliaut[1] il a fait de la charpie; sur ses grandes plaies il en a serré les pans; puis il l'a attiré contre sa poitrine; puis, sur l'herbe verte, il l'a doucement couché. A voix très basse Roland l'a prié : « Eh! gentil seigneur, donnez-moi donc congé! Nos compagnons, qui nous furent si chers, maintenant ils sont morts, nous ne devons pas les laisser. Je veux aller les chercher et les reconnaître, les installer devant vous et les ranger. » L'archevêque dit : « Allez et revenez! Ce champ est vôtre, Dieu merci, et mien aussi. »

---

1. *Bliaut* : tunique de toile ou de soie.

Commentaire philologique et grammatical.

Vers 1. — *Païen* vient phonétiquement de *pagani*; dans la *Séquence de sainte Eulalie* (Xᵉ siècle), on trouve la forme *pagien*. *Paganus*, qui signifie à l'origine « villageois », avait d'ailleurs pris en latin même, chez Tertullien et saint Augustin (IIIᵉ et IVᵉ siècle), le sens qu'il a ici. Les paysans avaient en effet conservé le paganisme plus longtemps que les citadins. — *Curuçus* : un verbe bas latin *corruptiare*, « gâter, aigrir l'humeur », a donné *corocier*. De ce verbe, on a tiré un nom déverbal *coroz*. A ce déverbal, on a ajouté le suffixe *osus*, et cela a donné *coroços*, ou *curuçus*.

Vers 2. — *Espleiter* vient de *explicitare*, forme refaite à partir de l'adjectif *explicitus*. Il signifie « agir avec ardeur, se hâter ».

Vers 3. — *Nes ad dunt encalcer* : « n'a pas de quoi les poursuivre ». *Nes* : « ne les » (joindre à *encalcer*). — *Dunt* vient de *de* et *unde*, « d'où », c'est-à-dire « de quoi ». — *Encalcer* : on trouve aussi les formes *enchalcier* et *encauchier*; le mot est sorti de la langue au XIVᵉ siècle. Ce verbe signifie « harceler » : sur *calcem* (« talon »), on a formé un verbe *calceare* et un composé *incalceare*. A ne pas confondre avec *chasser*, qui vient du verbe *captiare* et a donné en ancien français *chassier*. — L'expression *nes ad dunt encalcer* signifie donc : « n'a pas de quoi les poursuivre ».

Vers 4. — *Destrer* : réduction anglo-normande de *destrier*. Le mot apparaît au XIᵉ siècle pour disparaître au XIIIᵉ siècle. C'est un mot dérivé de *destre* (« main droite »). Il servait à désigner le cheval de joute qui galopait sur le pied droit.

Vers 5. — *Remés* : « resté » (vient de *remansus*).

Vers 7. — *Ad* : préposition qui introduit un complément de valeur descriptive.

Vers 10. — « Il en a mis les pans dans ses grandes plaies. » Le mot *butet* vient du francique *bottan*, qui, en ancien français, a donné *bouter*, « mettre ». « Il est bas et ne se dit plus », signale le Dictionnaire de l'Académie de 1694.

Vers 12. — *Suef* vient de *suave*, adjectif neutre pris adverbialement : « avec douceur ».

Vers 16. — *I* : « là ».

Vers 17. — *Joes* se trouve ordinairement sous la forme *jos* ou *jeus* (jo les; je les). *Joes* est une combinaison des deux formes. — *Entercer*, réduction anglo-normande de *entretier*, verbe qui est sorti de la langue au XIIIᵉ siècle. Il semble que sur *in* et *tertium* on ait construit un verbe *intertiare*, signifiant littéralement « regarder pour la troisième fois ». D'où les sens de « mettre entre les mains d'une tierce personne, séquestrer, revendiquer, reconnaître, estimer ».

Vers 18. — *Juster* : « placer à côté » (vient de *juxtare*).

Vers 19. — *Repairez* : « revenez! ». Ce mot vient d'un verbe *repatriare*, qui signifie d'abord « retourner dans sa patrie ».

━━━━━━ **QUESTIONS** ━━━━━━━━━━━━━━━━━━━

SUR LA LAISSE 161. — Quel effet produit le souci de courtoisie que manifestent les deux héros dans des instants aussi dramatiques?

162   vers 2184-2199

Texte.

   Rollant s'en turnet, par le camp vait tut suls,
   Cercet les vals e si cercet les munz.
   Iloec truvat Gerin e Gerer sun cumpaignun,
   E si truvat Berenger e Attun;
 5 Iloec truvat Anseïs e Sansun,
   Truvat Gerard le veill de Russillun.
   Par uns e uns les ad pris le barun,
   A l'arcevesque en est venuz a tut,
   Sis mist en reng dedevant ses genuilz.
10 Li arcevesque ne poet muer n'en plurt,
   Lievet sa main, fait sa beneïçun,
   Après ad dit : « Mare fustes, seignurs!
   Tutes voz anmes ait Deus li Glorius!
   En pareïs les metet en sentes flurs!
15 La meie mort me rent si anguissus!
   Ja ne verrai le riche empereür. »

Traduction.

   Roland part donc. A travers le champ il va tout seul, fouille
les vaux, fouille les monts. Là il a trouvé Gérin et Gérier,
son compagnon, et puis Bérengier et Aton; là il a trouvé
Anséïs et Samson, et puis Gérard le Vieux du Roussillon.
Un par un il les a pris, le vaillant, et avec eux tous il est revenu
vers l'archevêque, devant ses genoux il les a disposés en un
rang. L'archevêque ne peut retenir ses larmes, il lève la main,
fait sa bénédiction. Après quoi il leur a dit : « C'est pitié de
vous, seigneurs! Que Dieu en sa gloire reçoive toutes vos
âmes : en paradis qu'il les mette au milieu des saintes fleurs[1]!
Combien m'angoisse ma propre mort! Jamais je ne reverrai
le puissant empereur[2]! »

   1. Les croyants de ce temps voyaient le paradis comme un vaste champ de
fleurs. Il semble d'ailleurs que ce mot *paradis* ait eu pour synonyme exact *champ
flori*. C'est le cas, en particulier, dans *la Chanson de Roland* au vers 1856; 2. Le
réalisme de cette laisse est fort sobre. On lit, au contraire, dans le *Carmen de pro-
ditione guenonis* :

         Rolandus semel ac iterum pede corpora volvens,
         Huc illuc meat in sanguine crure tenus.

   « Une fois et puis encore roulant du pied les cadavres il va et vient dans le sang
jusqu'à mi-jambe. » (Vers 447-448.)

──────── **QUESTIONS** ────────

   SUR LA LAISSE 162. — « Idée bizarre, mais grandiose que de faire
chercher par Roland les corps des onze autres pairs » (Gaston Paris).
Que pensez-vous de ce jugement? — Le caractère visuel de cette strophe.

Commentaire philologique et grammatical.

Vers 1. — *Turnet* : le *u* représente un *o* fermé. Et en effet le *o* grec de *tornos*, qui a donné le latin *tornus*, sur lequel on a construit *tornare*, a produit un *o* fermé, phénomène courant dans la transcription des *o* grecs. Le verbe signifie littéralement « façonner au tour »; d'où l'on est passé au sens de « mouvoir », et « se torner » a fini par signifier « aller ».

Vers 2. — *Cercer* : forme normande et picarde au lieu de *cerchet*. Notre forme moderne est due à un phénomène d'assimilation consonantique. — *E si* : « et ».

Vers 3. — *Iloec* est parfois écrit *iluec, iluoc, iluc, ileuc, iloques* : « là ». Il ne vient ni de *ilico* ni de *in isto loco*. C'est un dérivé de *ille* : de même qu'il existait un *illic*, on a construit un *illoc* (ablatif). Mais ce *illoc*, ou *illoque*, ne peut aboutir à *iluec, illuec*. Il y a deux anomalies : le maintien du *i* initial, qui ne peut s'expliquer que par l'*illico* ; et le *ue* qui suppose à l'origine un *o* ouvert (par exemple le *o* de *locum*, où *o* devient *ue*).

Vers 4. — *Attun* : à rapprocher des noms de lieux *atto, hatto, eth* dans le Nord.

Vers 6. — *Veill* vient de *vetulum*, adjectif latin d'époque classique qui signifie « un peu vieux ». Le *i* s'explique en partant d'un *veclus*, attesté dans l'*Appendix Probi* (Ve siècle).

Vers 7. — *Par uns e uns* : « un par un, l'un après l'autre ». Certains manuscrits portent *un* sans *s*, puisqu'il s'agit d'un cas complément.

Vers 8. — *En* : « de là ». — *A tut* vient de *totum*, précédé de *ad* ou *apud* : « avec ». On trouvait aussi la forme *od tot*, venant de *apud totum*.

Vers 9. — *Sis* vient de *sic illos* : « et il les mit ». — *Reng*, écrit parfois *renc*, est une graphie de *rang*, qui vient du germanique *hring* (allemand *Ring*, anglais *ring*). De ce nom, il existe une forme féminine *renge*. — *Dedevant* vient de *de de ab ante* (*de ab ante* a donné « devant »). — *Genuilz* vient de *genuculum*, sorte de diminutif de *genu*.

Vers 10. — *Muer* vient de *mutare*. Il y a ici du point de vue de la syntaxe une juxtaposition au lieu d'une subordination attendue : « il ne peut s'empêcher d'en pleurer ».

Vers 11. — *Beneïçun* a vécu du XIe au XVe siècle. Le mot vient de *benedictionem*.

Vers 12. — *Mare* vient de *mala hora* : « quel malheur a été le vôtre! »

Vers 13. — *Anmes*. On a généralement *aneme*, venant de *anima*. Or on a aussi *angle*, venant de *angelum* : c'est sous cette influence qu'on a eu *anme* (sans nasalisation), puis *ame*.

Vers 14. — *Pareïs* vient de *paradisum*, avec un *i* long qui s'explique par l'étymologie grecque *paradeisos*.

Vers 15. — *Meie* vient de *meam*, avec accent tonique. — *Anguissus*. De *angoisse*, venu de *angustia*, on a tiré un adjectif *angoissos* ou *anguissus*.

163

Texte.

Rollant s'en turnet, le camp vait recercer,
Sun cumpaignun ad truvet, Oliver :
Encuntre sun piz estreit l'ad enbracet;
Si cum il poet a l'arcevesques en vent,
5 Sur un escut l'ad as altres culchet,
E l'arcevesque l'ad asols e seignet.
Idunc agreget le doel e la pitet.
Ço dit Rollant : « Bels cumpainz Oliver,
Vos fustes filz al duc Reiner
10 Ki tint la marche del val de Runers.
Pur hanste freindre e pur escuz peceier,
Pur orgoillos veintre e esmaier
E pur prozdomes tenir e cunseiller
Et pur glutun veintre e esmaier,
15 En nule tere n'ad meillor chevaler. »

Traduction.

Roland repart, de nouveau il va fouiller le champ; il a trouvé son compagnon Olivier : sur sa poitrine étroitement il l'a serré; comme il peut il revient vers l'archevêque; sur un bouclier il a couché Olivier auprès des autres, et l'archevêque l'a absous et sur lui fait le signe de la croix. Alors redoublent et le deuil et la pitié. Et Roland dit : « Beau compagnon Olivier, vous étiez fils du duc Renier[1], qui tenait la marche du val de Runers. Pour rompre une lance et briser un bouclier, pour vaincre et écraser les orgueilleux, pour soutenir les vaillants et les conseiller, pour vaincre et écraser les méchants, en nulle terre il n'y eut meilleur chevalier. »

---

1. Renier est un des fils de Garin de Monglane. Il est le personnage principal d'une autre chanson de geste, *Girart de Viane* (Vienne) [fin du XIIᵉ siècle]. Ce Renier épousa la fille du duc de Gênes. De cette union naquirent Olivier et la belle Aude.

--- **QUESTIONS** ---

SUR LA LAISSE 163. — Le regret, lieu commun de la poésie épique. Citez d'autres « regrets » dans *la Chanson de Roland*. — L'éloge d'Olivier laisse-t-il entrevoir les sentiments personnels de Roland à l'égard de son ami? Ou est-ce un éloge purement rituel?

Commentaire philologique et grammatical.

Vers 1. — *Recercer :* verbe composé de *re* et de *circare*.

Vers 3. — *Piz* vient de *pectus*. Il signifie « poitrine » et ce sens vivra jusqu'au XVIᵉ siècle. — *Estreit* vient de *strictum*, précédé du *e* populaire. C'est un adjectif à valeur adverbiale. Il signifie « étroitement ».

Vers 4. — *Vent* vient de *venit*. Or *e* porte l'accent et il est de quantité brève. On devrait donc avoir *vient*. *Vent* est une forme analogique créée d'après les formes où *e* ne porte pas l'accent, par exemple *venimus*, qui a donné *venons*.

Vers 5. — *As altres :* « auprès des autres ».

Vers 6. — *Asols :* construit sur *absolsi*, forme de bas latin pour *absolvi*.

Vers 7. — *Agreget :* sous l'influence de *levis*, il s'est créé un adjectif *grevis* à côté du classique *gravis*. Sur ce *grevis*, il s'est forgé un infinitif *adgreviare*, d'où *agregier*. Il y a donc eu concurrence deux verbes, formés l'un sur *gravis* (« aggraver »), l'autre sur *grevis*.

Vers 9. — *Filz* vient de *filius*. Le *l* mouillé produit une palatale; lorsque cette palatale est suivie de *s*, un *t* épenthétique se développe. D'où *filtz, filz* (*z = ts*). Lorsque la mouillure disparaît, on a *fiz*. Cette forme apparaît déjà dans la *Vie de saint Alexis* (XIᵉ siècle).

Vers 11. — *Hanste* vient de *hasta*, influencé par une racine germanique (allemand *Handhabe*). On a en normand *hante*. — *Freindre*, de *frangere*, a vécu du XIᵉ au XIIIᵉ siècle. — *Peceier :* sur *petia* (« pièce »), on a construit un verbe *petidzare ;* d'où *pecier, peçoier :* « mettre en pièces ».

Vers 12. — *Veintre*, qui a vécu du XIᵉ au XIIᵉ siècle, est peut-être une réduction de *vingere*. — *Esmaier : exmagare* a donné *esmaier* (« émouvoir »). *Emoi* est un nom déverbal de *esmaier*. L'origine germanique du verbe paraît certaine : *magan* est un verbe germanique signifiant « pouvoir » (allemand *mögen*, anglais *to dismay*). Le verbe signifie littéralement « faire perdre son pouvoir ».

Vers 14. — *Glutun* vient de *gluttonem* avec *u* bref et *o* long, tiré de *gluttus :* « gosier ». Ce mot est de même racine que le latin classique *ingluvies* (« jabot ») et, selon Varron, sert à désigner un « triple menton » (même racine que *gula*).

164   vers 2215-2221

Texte.

Li quens Rollant, quant il veit mort ses pers
E Oliver, qu'il tant poeit amer,
Tendrur en out, cumencet a plurer.
En sun visage fut mult desculurez;
5 Si grant doel out que mais ne pout ester :
Voeillet o nun, a tere chet pasmet.
Dist l'arcevesque : « Tant mare fustes, ber! »

165   vers 2222-2232

Li arcevesques, quant vit pasmer Rollant,
Dunc out tel doel unkes mais n'out si grant.
Tendit sa main, si ad pris l'olifan :
En Rencesvals ad un' ewe curant;
5 Aler i volt, sin durrat a Rollant.
Sun petit pas s'en turnet cancelant.
Il est si fieble qu'il ne poet en avant;
N'en ad vertut, trop ad perdut del sanc.
Einz qu'om alast un sul arpent de camp,
10 Falt li le coer, si est chaeit avant.
La sue mort l'i vait mult angoissant.

Traduction.

Le comte Roland, quand il voit morts ses pairs et Olivier
qu'il aimait tant, s'attendrit et se met à pleurer. Sur son
visage une grande pâleur apparut; il eut si grande douleur
qu'il n'y pouvait tenir : qu'il veuille ou non, il tombe sur le
sol, pâmé. L'archevêque dit : « Baron, quelle pitié de vous! »

L'archevêque, quand il vit pâmer Roland, en eut un chagrin comme il n'en avait jamais éprouvé. Il a tendu la main
et saisi l'olifant : à Roncevaux, il y a une eau courante; il
veut y aller, et il en puisera aussi pour Roland. A petits pas,
il s'éloigne en chancelant. Il est si faible qu'il ne peut avan-
cer; il n'en a pas la force, il a perdu trop de sang. En moins
de temps qu'il n'en faut pour traverser un seul arpent, le
cœur lui manque, et il tombe la tête en avant. Voici que sa
propre mort commence à l'étouffer cruellement.

─────── **QUESTIONS** ───────

SUR LA LAISSE 164. — Rapprochez cette laisse de la laisse 140 : la
sensibilité de Roland. — La sobriété du style rend-elle le pathétique
moins intense?

Commentaire philologique et grammatical.

Laisse 164.

Vers 1. — *Pers* : « égaux » (vient du latin *pares*). Le mot est écrit au singulier d'abord *peer* ; ensuite *per* jusqu'au xv⁰ siècle. Au xviiᵉ siècle, le mot a été repris à l'anglais *peer*, et il s'écrit *pair*, au féminin *pairesse*.

Vers 2. — *Poeit.* Le verbe *pouvoir* est un semi-auxiliaire qui exprime une nuance de possibilité. « Qu'il aimait autant qu'il le pouvait. » Du point de vue de la forme, il convient de rappeler qu'en latin vulgaire il s'était constitué un verbe *potere* (d'où *pooir, poeir*, puis *pouvoir*). A l'imparfait, on avait *potebat*, d'où *poeit.*

Vers 3. — *Tendrur* vient de *tendre*, auquel s'est ajouté un suffixe *orem*. Il en est résulté un substantif abstrait *tendror*. — *Out* vient de *habuit*. On a concurremment les deux formes *out* et *ot* : le *u* paraît avoir été entraîné par le son *w* provenant de la chute du *b*.

Vers 5. — *Pout* vient de *potuit*. — *Ester* vient de *stare*.

Vers 6. — *Chet* : réduction de *chiet*, vient de *cadit*.

Vers 7. — *Tant* renforce *mare fustes*. Sur *mare*, voir le vers 12 de la laisse 162.

Laisse 165.

Vers 1. — *Arcevesques* : adaptation du latin ecclésiastique *archiepiscopus*. — *Pasmer* se trouve dès le xiᵉ siècle dans la *Vie de saint Alexis*. Le mot vient du latin vulgaire *pasmare*, altération de *spasmare* (verbe formé sur *spasmus*, transcription du grec *spasmos*).

Vers 2. — Il n'est pas rare qu'une proposition principale soit introduite par *dunc* ou *si*, surtout quand la subordonnée qui précède est subordonnée de temps. La proposition comparative (« une douleur telle qu'il n'en avait jamais eu de si grande ») ne comporte pas de conjonction.

Vers 4. — *Ewe* représente le latin *aqua*. C'est une forme nordique. Plus tard, entre le *e* et le *w* s'est intercalé un *a*, pour donner *eaue* (comme de *bellus* sont venus *bels* et *beus*, puis *beals* et *beaus*). Quant à la forme *eve*, attestée encore en Poitou, elle vient d'une chute ancienne de la lettre *a* (comme *equam* a donné *ive* : « la cavale »).

Vers 5. — *Sin* vient de *sic* et *inde* : « et il en donnera à Roland ».

Vers 6. — *Cancelant* vient du latin *cancellare* : « clore d'un treillis ». De l'instabilité d'un treillis, on passe à l'idée d'une démarche incertaine.

Vers 9. — *Einz que* vient de *antius quod.*

Vers 10. — *Chaeit* : « tombé ». Il existait un verbe *cadere*, avec participe passé *cadutum* : d'où *cheu* et *chu*. De *cadectum* (reconstruit sur *benedictum, collectum*), on a déduit *chaeit* (forme anglo-normande) et *chaoit.*

166   vers 2233-2245

Texte.

   Li quens Rollant revient de pasmeisuns :
   Sur piez se drecet, mais il ad grant dulur.
   Guardet aval e si guardet amunt :
   Sur l'erbe verte, ultre ses cumpaignuns,
5 La veit gesir le nobilie barun,
   Ço est l'arcevesque, que Deus mist en sun num.
   Cleimet sa culpe, si reguardet amunt,
   Cuntre le ciel amsdous ses mains ad juinz,
   Si priet Deu que pareïs li duinst.
10 Morz est Turpin, le guerreier Charlun.
   Par granz batailles et par mult bels sermons
   Cuntre paiens fut tuz tens campiuns.
   Deus li otreit seinte beneïçun!

Traduction.

   Le comte Roland revient de pâmoison : il se dresse sur ses pieds, mais il éprouve une grande douleur. Il regarde en aval et il regarde en amont. Sur l'herbe verte, par-delà ses compagnons, là il voit gisant le noble baron, l'archevêque que Dieu mit sur terre en son nom. Il crie sa coulpe, regarde le ciel, vers lui il a joint ses deux mains et prie Dieu de lui donner le paradis. Il est mort Turpin, le guerrier de Charles. Par grandes batailles et magnifiques sermons contre les païens, toute sa vie il fut champion de Charles. Que Dieu lui octroie sa sainte bénédiction!

———————— **QUESTIONS** ————————

Sur les laisses 165-166. — Comment le poète a-t-il su donner la puissance dramatique à la mort de Turpin? Quelles circonstances donnent à cette mort un caractère sublime? — L'oraison funèbre de Turpin par le poète : comment se trouve résumé le rôle du prêtre-soldat?

Commentaire philologique et grammatical.

Vers 1. — *Pasmeisuns* est en assonance avec *dulur*, ce qui prouve que la nasalisation de la dernière syllabe n'est pas entièrement sentie : il y a toujours tendance
à grouper des formes à nasalisation, comme le prouvent tous les autres mots en
assonance dans cette laisse.

Vers 3. — *Guardet :* troisième personne du singulier de l'indicatif présent du
verbe *guarder*, qui se trouve déjà au XIᵉ siècle dans la *Vie de saint Alexis*, et qui
vient du francique *wardan*, « veiller, être sur ses gardes » (allemand *warten*,
« attendre », anglais *to ward*, « protéger »). L'actuel *regarder* se trouve déjà au
VIIIᵉ siècle sous la forme de *rewardant*.

Vers 5. — *La :* « sur l'herbe verte ». — *Nobilie :* « noble »; cet adjectif a vécu
du XIᵉ au XVᵉ siècle. Il vient du latin *nobilis*, littéralement « connu » (même racine
que *noscere*, « connaître »). La forme *noble* se trouve dans la *Vie de saint Alexis*
(XIᵉ siècle). *Nobilie* vient d'un *nobilium* mérovingien; *noble* vient de *nobilem*.

Vers 6. — *Ço est :* « c'est ». Il existe aussi la forme *iço*. *Ce* est une forme assourdie
par emploi en position atone. Les deux formes viennent du latin *ecce hoc*.

Vers 7. — *Amunt* vient de *ad montem*.

Vers 8. — *Juinz* vient de *junctas :* le participe s'accorde avec le complément
d'objet *mains*, auprès duquel il a la fonction d'attribut.

Vers 9. — *Duinst :* subjonctif présent de *donner*. Pour expliquer cette forme, il
faut partir de *donare*. La forme régulière du subjonctif présent à la troisième personne du singulier devrait être *dont*, venant de *donet*. Mais une forme *doniat* s'est
substituée en bas latin à la forme régulière pour aboutir à la forme *doint*, *doinst*
ou *duinst*. Cette forme survécut jusqu'au XVIᵉ siècle.

Vers 10. — *Guerreier :* on trouve aussi les formes *guerreor*, *guerrere*, vivantes
du XIIᵉ au XIVᵉ siècle. A rapprocher du verbe *guerrer* (XIIᵉ siècle), issu du germanique *werra*, « querelle », à rapprocher aussi de l'anglais *war*, « guerre »). La forme
guerrier se trouve dans *la Chanson de Roland*.

167   vers 2246-2258

Texte.

  Li quens Rollant veit l'arcevesque a tere :
  Defors sun cors veit gesir la buele.
  Desuz le frunt li buillit la cervele;
  Desur sun piz, entre les dous furceles,
5 Cruisiedes ad ses blanches mains, les beles.
  Forment le pleignet a la lei de sa tere :   *Roland*
  « E! Gentilz hom, chevalier de bon aire,   *s'adresse à*
  Hoi te cumant al Glorius celeste.   *Turpin*
  Jamais n'ert hume plus volenters le serve.
10 Dès les apostles ne fut hom tel prophete
  Pur lei tenir e pur humes atraire.
  Ja la vostre anme nen ait sufraite!
  De pareïs li seit la porte uverte! »

Traduction.

  Le comte Roland voit l'archevêque à terre : il voit, sorties
du corps, les entrailles. Du front dégoutte la cervelle; sur
sa poitrine, entre les deux clavicules, il a croisé ses blanches
mains, ses belles mains. Du fond du cœur, il dit le regret,
selon la loi de sa terre : « Eh! gentil[1] seigneur, chevalier de
noble souche, aujourd'hui je te recommande au Dieu de
Gloire. Jamais il n'aura plus dévoué serviteur. Depuis les
apôtres, il n'a existé tel prophète pour garder la loi[2] et y
attirer les hommes. Puisse votre âme n'endurer nulle souffrance! Que la porte du paradis lui soit ouverte! »

---

1. *Gentil* : noble; 2. Vers à rapprocher du Deutéronome, xxxiv, 10 : « Et il
ne parut plus en Israël de prophète comparable à Moïse. »

──────── **QUESTIONS** ────────

Sur la laisse 167. — Comparez ce « regret » à celui que Roland a
consacré à Olivier (laisse 151), et à celui qu'il adressera à Durendal
(laisse 171 et suivantes). En quoi est-il significatif que cette plainte
funéraire soit ici confiée à Roland? — Roland passe du *tu* au *vous* en
s'adressant à Turpin; est-ce un « exquis alliage de tendresse et de révé-
rence », comme le dit J. Fabre? Faites une comparaison à ce point de
vue avec la laisse 151 et avec la laisse 173. — Relevez les détails réalistes :
quel effet produisent-ils dans ce passage? Avec quoi sont-ils en contraste?
— Sur quel trait de caractère de Roland le poète met-il l'accent en cet
instant dramatique?

● Sur l'ensemble des laisses 161 a 167. — Après les images de sang
et de lutte des épisodes précédents, quelle impression dominante se
dégage de ce groupe de laisses? A quels devoirs se consacrent les deux
survivants?

Commentaire philologique et grammatical.

Vers 2. — *Defors* : « hors de » (de *de foris*). *Defors sun cors :* « hors de son corps ». *Defors* adverbe et préposition a vécu du XIe au XIIIe siècle. Il subsiste encore dialectalement, et notamment en Limousin. Le *h* est inexpliqué, comme le *h* initial de *hors*, qu'on trouve dès le XIe siècle (*Vie de saint Alexis*). — *Buele* : « les boyaux ». On trouve aussi la forme *boiele*. Le mot vient du latin *botellum* (« saucisse »). Au pluriel, *botella* donne *buele* ou *buelle* et ce neutre pluriel a été, comme beaucoup de noms de ce genre, pris pour un fêminin singulier.

Vers 3. — « Sous son front la cervelle sort en bouillie ».

Vers 4. — *Furceles*, *furca* (« fourche ») avait un diminutif, *furcilla* : « petite fourche », d'où « clavicule ».

Vers 5. — *Cruisiedes :* du verbe *croiser*, *croisier*.

Vers 6. — *A la lei :* « selon la loi, la coutume ». *Lei* est issu de *legem*. — *Pleignet* doit être corrigé en *pleignt* (de *plangit*).

Vers 7. — *Aire*, de *area*, apparaît dès le XIIe siècle : ce mot signifie « emplacement ». D'où les sens de « aire à battre le grain, aire géométrique, aire d'oiseau ». Or en ancien provençal il existe un mot *aire* ou *agre*, qui signifie « nid, famille, extraction », et représente le latin *ager*. Au nord de la France, ces deux étymologies se sont confondues. Ainsi s'explique que le mot soit ici du masculin. *De bon aire* signifie : « de bonne race ».

Vers 8. — *Hoi* de *hodie :* « aujourd'hui ». — *Cumant* vient de *cum* et *mando*.

Vers 9. — *Hume* au lieu de *humes* (de *homines*) : la déclinaison n'est déjà plus respectée.

Vers 11. — *Pur lei tenir :* « pour maintenir la loi ».

Vers 12. — *Sufraite* est le participe de *sofreindre* (de *sub* et *frangere*). Il est ci pris comme nom et signifie : « privation, dommage ».

LA MORT DE ROLAND

168

vers 2259-2270

Texte.

Ço sent Rollant que la mort li est près :
Par les oreilles fors s'e ist li cervel.
De ses pers priet Deu ques apelt,
E pois de lui a l'angle Gabriel.
5 Prist l'olifan, que reproce n'en ait,
E Durendal, s'espee, en l'altre main.
Plus qu'arcbaleste ne poet traire un quarrel,
Devers Espaigne en vait en un guaret;
Muntet sur un tertre; desuz dous arbres bels
10 Quatre perruns i ad, de marbre faiz;
Sur l'erbe verte si est caeit envers :
La s'est pasmet, kar la mort li est près.

Traduction.

Roland sent que la mort est proche pour lui : par les oreilles
sort la cervelle. Pour ses pairs, il prie Dieu, il le prie de les
appeler; pour lui-même, il prie l'ange Gabriel[1]. Il prend
l'olifant, pour être sans reproche, et Durendal, son épée,
dans l'autre main. Plus loin qu'une arbalète ne peut tirer
un carreau, sur la terre d'Espagne il va en un guéret; il monte
sur un tertre; là, sous deux beaux arbres, il y a quatre perrons,
faits de marbre; sur l'herbe verte il est tombé à la renverse :
là il s'est évanoui, car la mort pour lui est proche.

---

1. L'ange Gabriel, dans *la Chanson de Roland*, est intermédiaire entre Dieu et
les hommes. Ce rôle lui est évidemment conféré par référence à l'évangile de
saint Luc, I, 5-38.

--- QUESTIONS ---

Sur la laisse 168. — Par quels moyens le poète atteint-il ici à un
sommet dramatique? La grandeur de Roland dans sa solitude face à
la mort. — Quelle signification prend chacun des gestes accomplis par
Roland avant de s'évanouir? — Le paysage où se déroule la scène;
comment le décor est-il lié à l'action?

Commentaire philologique et grammatical.

Vers 1. — *Ço... que* est une prolepse fréquente en ancien français.

Vers 2. — *In, en, inde* sont devenus *e* en anglo-normand : *s'e ist* est donc une forme anglo-normande pour *s'en ist*. De la même manière, *in meo pagense* a donné *e mon pais*. (Cf. le provençal *efan*, pour *enfan*, *ifernum* pour *infernum*, *isula* pour *insula*.) Il est d'ailleurs plus difficile d'expliquer *e* issu de *en* et de *inde* : il faut supposer que la loi phonétique de *nf* devenant *f* a continué à vivre à l'époque française. — *Cervel* : forme du féminin. Il ne s'agit pas d'une graphie où le *e* serait oublié. Alors l'assonance serait fausse. En effet *pere* par exemple ne peut être en assonance qu'avec *mere*, non avec *mer*. Il s'agit d'une chute ancienne du *e*, d'une perte phonétique, non analogique. — *Fors*, préposition issue de *foris* et qui a survécu jusqu'au XVIᵉ siècle, est à rattacher à *s'e ist*.

Vers 3. — *Ques* : « que les » (de *quod illos*). — *Apelt* : forme phonétiquement venue de *appellet* (subjonctif).

Vers 4. — *De* : « au sujet de, en faveur de ». Deux constructions différentes suivent le verbe *prier* : la première avec complément direct (« Dieu », vers 3); la seconde avec complément indirect (« à l'ange », vers 4). On trouve ici la construction actuelle et la construction avec objet indirect. — *Angle* : cette forme se rencontre du XIᵉ au XIIIᵉ siècle. Elle est une graphie de *ange;* on trouve aussi la forme dissyllabique *angele*. Du grec *aggelos*, on a tiré le latin d'église *angelus* : d'où *angele* (dès le XIᵉ siècle dans la *Vie de saint Alexis*) et *ange*, comme *imaginem* a donné à la fois *imagine* et *image*.

Vers 5. — *Prist. Prehensi*, première personne du parfait latin, a vu son *e* initial s'allonger sous l'influence du *i* long de la première personne du parfait, d'où *pris*. Mais *prehensit* a un *i* bref : alors on attend *proist*. *Prist* est une forme analogique de la première. — *Reproce* est un déverbal de *repropiare*, qui a donné *reprocher*. Il est formé sur la troisième personne du singulier *repropiat*. *Reproce* est une hypercorrection : nous sommes dans une zone dialectale où *k* + *e* latin devient *che* (exemple : *centum : chent*, forme picarde), *p* + *y* devient *ch* (exemple *sapiat : sache*); *repropiat* devrait donc normalement aboutir à *reproche*. Mais par analogie avec *chent* = *cent*, le scribe corrige *reproche* en *reproce*.

Vers 6. — *Main* : pas de nasalisation (assonance). *Ait* au vers précédent est réduit à *ei*, pas tout à fait à *e*.

Vers 7. — *Traire un quarrel* : « tirer un carreau, lancer une flèche ». *Quarrel* vient de *quadrellum*, diminutif de *quadrum*, mot qui sert à désigner la pointe aiguë de la flèche. D'où notre mot *carreau*.

Vers 8. — *Guaret* vient phonétiquement de *vervactum* « défriché », participe passé passif du verbe *vervago*. Il y a peut-être un lien avec *vervex*, « mouton ». *Guaret* est devenu *gueret* sous l'influence du *r*.

Vers 9. — *Tertre* vient de *termitem*. Ce dernier mot semble avoir été refait sur *termen*, « la borne », par analogie avec *limitem* (de *limes*, « limite ») qui existait à côté de *limen*, « le seuil ». *Termitem* est à *termen* comme *limitem* à *limen*.

Vers 11. — *Caeit* : voir vers 10 de la laisse 165. Ici on a la forme picarde, et non la forme normande *chaeit*. — *Envers* vient de *in* et *versus*.

169   vers 2271-2283

Texte.

Halt sunt li pui e mult halt les arbres.
Quatre perruns i ad luisant, de marbre.
Sur l'erbe verte li quens Rollant se pasmet.
Uns Sarrazins tute veie l'esguardet,
5 Si se feint mort, si gist entre les altres.
Del sanc luat sun cors e sun visage.
Met sei en piez e de curre s'hastet.
Bels fut e forz e de grant vasselage;
Par sun orgoill cumencet mortel rage;
10 Rollant saisit e sun cors e ses armes
E dist un mot : « Vencut est li niés Carles!
Iceste espee porterai en Arabe. »
En cel tirer li quens s'aperçut alques.

Traduction.

Hauts sont les monts et très hauts les arbres. Il y a là quatre perrons de marbre, luisants. Sur l'herbe verte, le comte Roland se pâme. Or un Sarrasin le guette : il a contrefait le mort et gît parmi les autres. De sang il a souillé son corps et son visage. Il se dresse et accourt. Il était beau, vaillant et de grand courage; son orgueil le pousse à entreprendre ce qui sera sa mort; il saisit Roland, sa personne et ses armes et s'exclame : « Il est vaincu le neveu de Charles! L'épée que voici, je vais l'emporter en Arabie! » Comme il tirait, le comte reprit quelque peu ses sens.

——— **QUESTIONS** ———

Sur la laisse 169. — Le premier vers est répété, et à plusieurs reprises, dans *la Chanson de Roland* : cherchez les répétitions, et dites l'effet qu'elles produisent.

Commentaire philologique et grammatical.

Vers 2. — *Luisant :* « qui projettent leur éclat ». Le verbe latin *lucere* a donné *luisir* (lequel a vécu jusqu'au XIIIᵉ siècle), puis *luire*. — *De marbre :* « à cause du marbre qui les constitue ». Il y a là un complément de cause plutôt qu'un complément de matière.

Vers 4. — *Tute veie :* il faut partir de *totam viam*, « par tout chemin, par tout moyen », d'où : « de toute façon, toutefois ». — *Esguardet.* Du XIᵉ au XIIIᵉ siècle, il a existé en ancien français un verbe *esgarder* (composé de *garder* et signifiant « regarder »; *garder* avait d'ailleurs le même sens). Les formes *guarder* et *garder* ont coexisté. Cette coexistence s'explique par l'étymologie : le francique *wardon* (allemand *warten*, « attendre », et anglais *to ward*, « protéger »).

Vers 5. — *Feinst* vient de *finxit*. — *Gist* vient de *jacet*.

Vers 6. — *Sanc :* forme tirée d'un nom neutre *sanguen*, qui s'est développé en bas latin à côté du mot classique *sanguis, sanguinis*. L'accusatif de celui-ci, *sanguinem*, a donné *sang*, tandis que *sanguen* aboutissait à *sanc*. Il y a eu généralisation de l'emploi de *sang*, à cause du souvenir de l'étymologie. — *Luat :* « souilla ». Sur *lutum* (« la boue »), on a construit un verbe *lutare ;* d'où *loer, luer*. Ce verbe n'a pas dépassé le XIIᵉ siècle.

Vers 7. — *En piez :* la forme *piez* représente régulièrement l'accusatif pluriel *pedes*, où le premier *e* bref est accentué et devient normalement *ie*. L'emploi de la préposition *en* (là où nous employons *sur*) a subsisté dans certaines expressions : « une statue en pied ». — *De curre s'hastet :* « se hâte de courir ». Le gothique *haifst* a donné *haste* dès le XIIᵉ siècle. D'où *haster* et *hater*. On est donc en droit de corriger le manuscrit et d'écrire : *s'hastet* (certains éditeurs ont cru pouvoir lire *s'astet*). — *Curre* et *courre*, venant de *currere*, ont été supplantés à partir du XIVᵉ siècle par *courir* (changement de conjugaison).

Vers 9. — *Par :* « inspiré par ». La préposition introduit un complément de cause.

Vers 12. — *Iceste :* cette forme existe parallèlement à *ceste* (« cette »). Le *i* initial est déictique : il sert à montrer avec insistance. On le retrouve dans *itout* (à côté de *tout*), *itel* (à côté de *tel*), etc. C'est peut-être le même *i* qui existe dans l'adverbe de lieu *ici*.

Vers 13. — *En cel tirer :* « pendant cette action de tirer ». — *S'aperçut alques :* « reprit des sens un peu ». *Alques* vient de *aliquid*, auquel on a ajouté le *s* adverbial.

170   vers 2284-2296

Texte.

Ço sent Rollant que s'espee li tolt.
Uvrit les oilz, si li ad dit un mot :
« Men escientre, tu n'ies mie des noz! »
Tient l'olifan, qu'unkes perdre ne volt,
5 Sil fiert en l'elme, ki gemmet fut a or :
Fruisset l'acer e la teste e les os,
Amsdous les oilz del chef li ad mis fors,
Jus a ses piez si l'ad tresturnet mort.
Après li dit : « Culvert paien, cum fus unkes si os
10 Que me saisis, ne a dreit ne a tort?
Ne l'orrat hume ne t'en tienget por fol.
Fenduz en est mis olifans el gros,
Çaiuz en est li cristals e li ors. »

Traduction.

Roland sent qu'il lui prend son épée. Il ouvre les yeux et
lui dit un mot : « Tu n'es pas des nôtres, que je sache! »
Il tient l'olifant, que jamais il ne voulut abandonner, et frappe
sur le heaume gemmé d'or : il brise l'acier, la tête et les os.
Les deux yeux il les lui a fait jaillir de la tête. Devant ses
pieds il l'a abattu, mort. Ensuite, il lui dit : « Culvert[1] de
païen, comment as-tu osé porter sur moi la main, soit à
droit, soit à tort? On ne l'entendra pas dire sans te tenir
pour fou. Mon olifant en est fendu au pavillon! Le cristal
et l'or en sont tombés! »

1. Sur cette injure, voir la laisse 60 et la note 2 de la page 58, tome premier.

───────── **QUESTIONS** ─────────

SUR LA LAISSE 170. — L'intérêt dramatique de cet épisode : ajoute-t-il
grand-chose à la destinée de Roland ou à son caractère? L'importance
donnée au cor : si on se rappelle que, dès le XIᵉ siècle, on montrait
dans l'église collégiale de Saint-Seurin, à Bordeaux, un cor d'ivoire
fendu par le milieu, voit-on le rapport entre les reliques et le texte de
la Chanson (voir à ce sujet la Notice, page 16, dans le tome premier,
et aussi la laisse 267)?

Commentaire philologique et grammatical.

Vers 1. — *Ço... que* : prolepse (voir le début de la laisse 168). — *S'espee* : l'adjectif possessif du latin classique *suus, sua, suum* avait été en bas latin remplacé par une forme *sus, sa, sum*. Le féminin *sa* a donné régulièrement *se* en vieux français, et *s'* par élision devant une voyelle. — *Tolt*, « enlève », vient de *tollit*.

Vers 3. — *Men escientre* : développement de *me sciente*, senti comme un substantif. On aboutit ainsi à une construction *meo sciente*, « dans ma manière de voir »; d'où *mien escient*. Là-dessus, il y a eu une influence de l'infinitif *scienter*. — *Ies* vient du latin *es* avec *e* bref accentué. — *Noz* vient de *nostros*. Le groupe *strs* devient *sts*, puis *tz*, enfin *z*.

Vers 4. — *Unkes* vient de *unquam*. La graphie *k* est une forme picarde; le *s* final est adverbial.

Vers 5. — *Sil fiert en l'elme* : « et il frappe le Sarrasin dans le heaume ». — *Gemmet ... a or* : « gemmé à l'aide de l'or ». Voir la même expression au vers 7 de la laisse 161.

Vers 6. — *Fruisset* vient de *frustiare*, « mettre en morceaux ». Sur *frustum*, « morceau », on a construit un verbe *frustare, frustiare, frustrare*. Notre adjectif *fruste* a été emprunté à l'italien *frusto*, de *frustare*, « usé ». Le verbe *frustrer*, qui apparaît au XIVe siècle, a été emprunté directement au latin *frustrari*. — *Acer* est une forme normande pour *acier* : le mot vient de *aciarium*, refait sur l'adjectif latin *acer*.

Vers 7. — *Amsdous les oilz* : « les deux yeux ». *Amsdous* vient de *ambos duos*, *oilz* vient de *oculos*. On trouve aussi les formes *uels, ueus, ieus*.

Vers 8. — *Jus* : cet adverbe de lieu, qui signifie « en bas », « à terre », semble venir du latin *jusum*, qui, vers le IVe siècle, s'est développé à côté de *deorsum*, sous l'influence de *susum*, forme de latin populaire pour *sursum*. — *Tresturnet* est formé du préfixe *tres* (venant de *trans*) et d'un verbe *turner* ou *torner*, venant de *tornare*, latin vulgaire, signifiant d'abord « façonner au tour ».

Vers 9. — *Culvert* a pour origine *collibertus*, qui signifiait en latin classique « compagnon d'affranchissement », puis a pris une valeur péjorative. On arrive ainsi aux formes *cuilvert, colvert, culvert*. — *Os* : « audacieux »; vient du participe passé de *audere*, à l'accusatif : *ausum*.

Vers 10. — *A tort* : dans cette expression, qui a déjà son sens actuel, *a* signifie « avec »; *tort* vient du latin vulgaire *tortum* (« tordre », c'est-à-dire détourné du droit, de la justice).

Vers 11. — *Tienget*, subjonctif présent à rapprocher de *alge*, subjonctif présent de *aler* (de *alare*).

Vers 12. — *El* vient de *in illo*. — *Gros* : le pavillon du cor.

Vers 13. — *Çaiuz* : composé de *ça ius* (de *jus*).

LA BRÈCHE DE ROLA

Phot. Lapie-Photothèque française.

CIRQUE DE GAVARNIE

171   vers 2297-2311

Sofilègne ou Roland envers l'épée

Texte.

   Ço sent Rollant la veüe ad perdue,
   Met sei sur piez, quanqu'il poet s'esvertuet;
   En sun visage sa culur ad perdue.
   Dedevant lui ad une perre byse;
5 X colps i fiert par doel e par rancune.
   Cruist li acers, ne freint ne ne s'esgruignet.
   « E! » dist li quens, « seinte Marie, aiue!
   E! Durendal, bone, si mare fustes!
   Quant jo mei perd, de vos nen ai mais cure.
10 Tantes batailles en camp en ai vencues
   E tantes teres larges escumbatues
   Que Carles tient, ki la barbe ad canue!
   Ne vos ait hume ki pur altre fuiet!
   Mult bon vassal vos ad lung tens tenue.
15 Jamais n'ert tel en France l'asolue. »

Traduction.

   Roland sent qu'il a perdu la vue, et, sur ses pieds, tant qu'il peut, il s'évertue; sur son visage, la couleur a disparu. Devant lui est une pierre bise[1]; dix coups il lui porte avec désespoir et rage. L'acier grince, il ne se brise ni ne s'ébrèche. « Eh! dit le comte, sainte Marie, à l'aide! Eh! Durendal, ma bonne épée, en quel malheur êtes-vous? Puisque je meurs, de vous je n'ai plus charge. Tant de batailles grâce à vous j'ai gagnées en rase campagne et conquis de si vastes terres que gouverne Charles à la barbe chenue! Que personne ne vous possède qui soit capable de fuir devant un autre! Un bon vassal vous a longtemps tenue. Jamais la sainte France n'en aura de tel! »

---

1. *Bise :* de couleur grise ou brun foncé.

--------- **QUESTIONS** ---------

Sur la laisse 171. — Comparez ce regret funèbre à celui que prononce le même Roland sur Olivier (laisse 151) et sur Turpin (laisse 167). — En quoi la scène est-elle sobrement évoquée? — Comment est obtenue l'impression de grandeur?

Commentaire philologique et grammatical.

Vers 1. — *Ço :* prolepse, mais, avec absence de conjonction, c'est une simple juxtaposition. Ce tour syntaxique qui se substitue à *ço... que...* est fréquent dans l'ancienne langue. Ici la proposition complétive *la veüe ad perdue* est purement et simplement juxtaposée au verbe principal.

Vers 2. — *Sei :* pronom tonique, alors que nous emploierions la forme atone. — *Quanque* (de *quantumquod*) : forme neutre qui a vécu du XIe au XVe siècle. — *Poet :* de *potet*, troisième personne du singulier de l'indicatif présent du verbe *potere*, forme vulgaire pour *posse.*

Vers 4. — *Perre* vient de *petra*, lequel a donné régulièrement *pierre.* Mais la réduction de *ie* à *e*, phénomène anglo-normand, est habituelle dans notre texte. — *Byse* (ou *bise*) : « d'un gris brun ». Le mot vient du francique *bisi* avec le premier *i* long.

Vers 5. — *Rancune*, du latin *rancorem*, qui a donné *rancœur.* C'est un dérivé de *ranceo*, « être rance ». *Rancorem*, sous l'influence de *cura, ae* (avec un *u* long), a donné *rancura*, et, par dissimilation des deux *r*, on a eu *rancune.*

Vers 6. — *Cruist : cruscire*, verbe gallo-roman, a donné *croissir.* A l'indicatif présent troisième personne du singulier : *croist.* — *Esgruignet : escruigner* veut dire « se rompre, se mettre en morceaux ». La racine de ce verbe est *grumus*, « motte de terre ». A la finale absolue, il y a eu hésitation entre *n* et *m*. D'où *grunus*, et *esgruner.* On peut comparer avec le vieux provençal *engrunar.* A la troisième personne dans notre texte, il y a aussi les formes *esgrugne, esgrunie. Esgruner* est la forme usuelle.

Vers 7. — *Aiue :* substantif déverbal de *adjutare*, qui a donné à l'infinitif *aidier* et *aider.* A la troisième personne du singulier de l'indicatif présent, on a *adjutat.* D'où : *aiue. Adjuto* a donné *aiu.*

Vers 11. — *Escombatues :* « conquises en combattant ».

Vers 12. — *Canue :* « blanche » (vient de *canuta*).

Vers 15. — *Asolue :* participe passé faible du verbe *asoldre*, « absoute de faute, sainte ».

Noter qu'entre cette laisse et la suivante il y a engrenage d'assonances comme il y a engrenage d'idées.

172   vers 2312-2337

Texte.

Rollant ferit el perrun de sardonie,
Cruist li acers, ne briset ne n'esgrunie.
Quant il ço vit que n'en pout mie freindre,
A sei meïsme la cumencet a pleindre :
5 « E! Durendal, cum es bele et clere e blanche!
Cuntre soleill si luises e reflambes!
Carles esteit es vals de Moriane,
Quan Deus del cel li mandat par sun angle
Qu'il te dunast a un cunte cataignie :
10 Dunc la me ceinst li gentilz reis, li magnes.
Jo l'en cunquis e Anjou et Bretaigne,
Si l'en cunquis e Peitou e le Maine;
Jo l'en cunquis Normendie la franche,
Si l'en cunquis Provence et Equitaigne
15 E Lumbardie e trestute Romaine;

(suite de la laisse, page 30)

Traduction.

Roland frappe au perron de sardoine[1], l'acier grince, il ne
se brise ni ne s'ébrèche. Quand il vit qu'il ne pouvait la briser,
il se mit à la plaindre en lui-même : « Eh! Durendal! Comme
tu es belle! et claire! et blanche! Au soleil comme tu luis
et brilles! Charles était aux vaux de Maurienne, quand du
ciel Dieu lui manda par son ange de te donner à un comte
capitaine : alors il m'en ceignit, le noble, le grand roi! Par
elle je lui conquis l'Anjou, la Bretagne; par elle je lui conquis
le Poitou et le Maine; par elle je lui conquis la franche[2] Normandie; par elle je lui conquis la Provence et l'Aquitaine,
et la Lombardie et toute la Romagne.

---

1. *Sardoine :* agate brune; **2.** *Franc :* libre. La Normandie se vantait d'être une
province où le servage avait été aboli.

Commentaire philologique et grammatical.

Vers 1. — *Perrun* : « bloc de pierre ». Mot refait sur *perre* (voir le commentaire du vers 4 de la laisse 171, page 27). — *Sardonie.* Prononcez *sardoine* (cf. l'assonance). Forme attestée au XIIᵉ siècle, adaptation du latin *sardonyx* : « onyx de Sardaigne ». Ce dernier nom était d'ailleurs lui-même une transcription du grec.

Vers 2. — *Esgrunie* : « s'ébrèche »; prononcer *esgrugne* (cf. *sardonie*). Voir le commentaire 6 de la laisse 171 (page 27).

Vers 4. — *A sei meisme* : « en lui-même ». — Noter les assonances en *a, an, en* : *freindre* (de *frangere*), *pleindre* (de *plangere*).

Vers 5. — *Cum* ne saurait être pris pour la transcription pure et simple du *cum* latin, dont l'emploi grammatical ne saurait se retrouver ici. Il faut partir de *quomodo* (« de quelle façon »), contracté en latin vulgaire sous la forme *quomo*. Notre forme actuelle *comme*, qui est une forme allongée, n'apparaît qu'au XIIᵉ siècle.

Vers 6. — *Luises* vient évidemment de *luces*. Mais le *i* reste à expliquer : on devrait avoir *luisir* (de *lucere*), comme *taisir* (de *tacere*), *plaisir* (de *placere*), *nuisir* (de *nocere*); en anglo-normand, la désinence *re* a tendance à passer à *er*. *Luiser* au lieu de *luire* est un phénomène dialectal. — *Reflambes*, « flamboies » : sur *flambe*, il y a un dénominatif *flamber*, qui, augmenté du suffixe *oier*, a donné *flamboyer. Flambe* vient de *flammula*, lequel a donné *flamble*, et, par dissimilation consonantique, *flambe*.

Vers 7. — *Moriane.* Dans notre texte, ce nom sert à désigner tantôt la terre des Maures, tantôt la Maurienne (la tradition veut en effet que Charlemagne y soit passé).

Vers 9. — *Cataignie* vient de *capitaneum*, qui a donné *chevetain, chevetaine.* (*Capitaine* est un mot importé d'Italie au XVIᵉ siècle.) — *Dunast.* La principale étant au conditionnel, on a l'imparfait du subjonctif dans la subordonnée : tournure très littéraire par l'application de la concordance des temps.

Vers 10. — *Dunc* : « par conséquent ». — *Ceinst* vient de *cinxit. La me ceint* est maintenant une tournure impossible (on aurait *me la*). Mais, à la troisième personne, on a encore *il la lui ceint.*

172 (suite)

Texte.

    Jo l'en cunquis Baiver e tute Flandres
    E Burguigne e trestute Puillanie,
    Costentinnoble, dunt il out la fiance,
    Et en Saisonie fait il ço qu'il demandet;
20 Jo l'en cunquis e Escoce e Vales Islonde
    Et Engletere que il teneit sa cambre[1];
    Cunquis l'en ai païs e teres tantes,
    Que Carles tient, ki ad la barbe blanche.
    Pur ceste espee ai dulor e pesance :
25 Mielz voeill murir qu'entre païens remaigne.
    Deus! perre, nen laiser hunir France! »

Traduction.

Par elle je lui conquis la Bavière et toute la Flandre et la
Bourgogne et toute la Pologne, et Constantinople, dont il
reçut l'hommage, et la Saxe, où il fait ce qu'il veut; par elle
je lui conquis l'Écosse, l'Islande, l'Angleterre, qu'il tenait
pour sa chambre[1]; par elle je lui conquis tant et tant de
pays que tient Charles à la barbe blanche. Pour cette épée
j'ai douleur et souci : mieux vaut la mort que la voir rester
aux païens! Dieu, notre Père, ne laissez pas la France subir
cette honte!

---

1. Les *chambres* du roi étaient les villes ou les provinces qui relevaient de son
autorité, constituant son domaine privé. Appliquer une telle expression à l'Angleterre est quelque peu méprisant : mais la conquête normande est récente (1066).
Cette longue liste de conquêtes n'est que partiellement conforme aux réalités
historiques : la Normandie, la Provence, l'Aquitaine, la Flandre et la Bourgogne
faisaient déjà partie du domaine de Pépin le Bref, et Charlemagne devient le
maître de toutes ces provinces, sinon en 768, du moins quand il s'empare du
territoire qui était d'abord échu à son frère Carloman, mort en 771. La Saxe, la
Bavière, la Lombardie avaient été réellement conquises par Charlemagne, et il
avait établi son protectorat sur la Romagne. L'allusion à la Normandie, à
l'Écosse, à l'Islande attribue à Charlemagne des conquêtes qu'entreprirent Vikings
et Normands (VIIIᵉ-IXᵉ siècle). La mention de la Pologne ne manque pas d'intérêt,
car il semble bien que ce pays n'ait pas été connu en France avant le XIᵉ siècle,
et certains érudits en tirent argument pour dater le poème. Quant à la
suzeraineté exercée sur Constantinople, elle est aussi une légende, mais dont
la signification est son importance : elle ferait de Charlemagne une puissance qui
restaure l'unité de l'Empire romain (en réunissant sous le même pouvoir l'empire
d'Occident et l'empire d'Orient). Toute cette énumération de conquêtes varie
d'ailleurs suivant les manuscrits.

Commentaire philologique et grammatical.

Vers 17. — *Trestute : tres* (de *trans*) renforce *tute* (« toute »). La forme classique *tota* avait produit en latin vulgaire une forme expressive *totta ;* celle-ci a supplanté *omnis.*

Vers 18. — *Fiance :* nom verbal tiré de la troisième personne du singulier du verbe *fiancer.* Ce verbe est un dérivé de *fier,* lequel depuis le XVIIe siècle ne s'emploie plus que comme réfléchi. *Fier* vient du bas latin *fidare,* refait sur l'adjectif *fidus, a, um.* Le verbe *fiancer* n'a fait son apparition qu'au XIIe siècle ; il signifie « prendre un engagement » ; ce sens a persisté jusqu'au XVe siècle. Le sens moderne apparut dès 1283. Ici, *fiance* signifie « engagement », « parole ».

Vers 20. — *Islonde :* forme normande pour *Islande.* En anglo-normand, le *a* entravé par nasale et consonne devient *au.* (Exemple : *Francia, Fraunce.*)

Vers 24. — *Pesance :* ce mot est apparu au XIe siècle et on ne le trouve pas au-delà du XIVe. C'est un nom tiré de *pesant,* participe présent de *peser.* Il signifie « accablement », « chagrin ».

Vers 26. — *Perre :* de *pedre,* venant du latin *patrem.* Il existe, dans *la Chanson de Roland,* une autre forme *perre* (« pierre »), venant de *petram,* avec *e* bref tonique, laquelle a donné en francien *pierre* et en anglo-normand, par réduction dialectale, *perre.*

──────── **QUESTIONS** ────────

Sur la laisse 172. — Comparez cette laisse à la laisse 171 : comment le thème est-il repris et développé ? Connaissez-vous dans *la Chanson* d'autres passages où a été utilisé ce procédé de composition ? Quel effet produit-il ?

173   vers 2338-2354

Texte.

Rollant ferit en une perre bise.
Plus en abat que jo ne vos sai dire.
L'espee cruist, ne fruisset ne ne brise,
Cuntre ciel amunt est resortie.
5 Quant veit li quens que ne la freindrat mie,
Mult dulcement la pleinst a sei meïsme :
« E! Durendal, cum es bele e seintisme!
En l'oriet punt asez i ad reliques,
La dent seint Perre e del sanc seint Basilie
10 E des chevels mun seignor seint Denise;
Del vestement i ad seinte Marie :
Il nen est dreiz que paiens te baillisent;
De chrestiens devez estre servie.
Ne vos ait hume ki facet cuardie!
15 Mult larges teres de vus avrai cunquises,
Que Carles tent, ki la barbe ad flurie;
E li empereres en est ber et riches. »

Traduction.

Roland frappa contre une pierre bise. Il en abat plus que
je ne sais vous dire. L'épée grince, mais ne s'ébrèche ni ne
se brise, vers le ciel elle a rebondi. Quand le comte voit qu'il
ne la brisera pas, tout doucement il la plaignit en lui-même :
« Eh! Durendal, comme tu es belle et sainte! En ton pommeau
d'or il y a quantité de reliques, une dent de saint Pierre, du
sang de saint Basile, des cheveux de monseigneur saint Denis,
du vêtement de sainte Marie[1] : il n'est pas juste que des
païens te possèdent; des chrétiens doivent assurer votre garde.
Ne tombez entre les mains d'un couard! Par vous j'aurai
conquis de fort vastes domaines que détient Charles à la
barbe fleurie! L'empereur en est puissant et riche. »

1. C'était un usage, attesté par de nombreux textes, d'enchâsser des reliques
dans le pommeau des épées (voir la laisse 46).

──────── **QUESTIONS** ────────

SUR LA LAISSE 173. — Quelles variations sont apportées ici au thème
déjà développé dans les strophes précédentes? — Pourquoi l'épée ne
peut-elle pas se briser, alors que l'olifant s'est fendu (voir laisse 170)?
Comment la vertu magique de l'arme-fée perd-elle ici son caractère
profane? — Quelle signification prennent les reliques que le poète
rassemble dans le pommeau de Durendal? — Le passage du *tu* au *vous*
dans les trois laisses (171-173) consacrées au « regret » de Durendal;
quel effet en résulte (voir à ce sujet la laisse 167)?

Commentaire philologique et grammatical.

Vers 1. — *Perre :* voir le vers 4 de la laisse 171 et le commentaire, page 27. — *Bise :* « d'un gris brun » (voir le vers 4 de la laisse 171).

Vers 4. — *Amunt :* « en haut » (de *ad montem*). — *Resortie.* Il existe, entre le XIᵉ et le XVᵉ siècle, deux verbes *resortir ;* l'un issu de *sortiri* (« tirer au sort »), l'autre de *surgere* (qui a donné *sourdre* et *surgir*). Le sens ici est « rebondir ». Pour expliquer phonétiquement *resortie*, il faut partir de *resurctum*, supin de *resurgere*, qui a donné *ressort*. De ce verbe est venu le dérivé *ressortir*.

Vers 6. — *Pleinst* vient du parfait *planxit*. *Plaint* vient du présent *plangit*. — *Meisme : metipsimum*, avec le premier *i* long, a donné *meisme ; metipsimum*, avec le premier *i* bref, a donné *metepsimum*, puis *medesme, meesme, mesme*.

Vers 7. — *Seintisme* vient de *sanctissima*.

Vers 8. — *Oriet :* croisement entre *auratum*, qui a donné *ore*, et *aureatum*, qui a donné *orie*, forme attestée en ancien français. — *Punt : pum* sert à désigner la poignée de l'épée ; il représente une forme masculine de *pomme*, tirée du latin *pomum*. On trouve aussi la forme *pomel* au XIIᵉ siècle dans le *Roman d'Eneas*. Le *t* est une graphie assez fréquente. — *Asez* vient de *ad* et *satis*, « en suffisance ».

Vers 9. — *Basilie* vient de *Basilius*.

Vers 10. — *Chevels* vient de *capillos*. — *Denise* vient de *Dionysius*, avec vocalisation du son final.

Vers 12. — *Nen* est une forme atténuée de *non*, encore attestée dans les *Serments de Strasbourg* (842) et dans la *Séquence de sainte Eulalie* (IXᵉ siècle). Au Xᵉ siècle, on trouve la forme *ne, nen* devant voyelle. Il faut partir d'une forme proclitique du latin *non*. Cf. *nenni*, encore chez Molière. — *Baillissent :* cette forme vient du verbe *baillir*, « posséder », lequel est sorti de la langue au XVIᵉ siècle.

Vers 13. — *Chrestiens :* scandez *chresti-i-ens*.

Vers 14. — *Hume :* on attend *hom* (cas sujet). La déclinaison commence à n'être plus respectée. — *Cuardie : cauda* (« queue ») est devenu *coda* en latin vulgaire. En français, on a eu *coe ;* avec le suffixe *ard*, on a eu l'adjectif *couard*, « qui a la queue basse ». On a ajouté encore le suffixe *itia* et l'on a eu *couardise*.

Vers 15. — *De vus :* « avec vous, grâce à vous ».

Vers 16. — *Tent :* « détient » (sens féodal du mot). Le mot vient de *tenet*, qui a donné *tient*, et il y a eu la réduction de *ie* à *e*, fréquente en anglo-normand. — *Ki* est séparé de son antécédent par le verbe.

Vers 17. — *Riche :* « puissant » (vient du germanique *riki*).

174

Texte.

Ço sent Rollant que la mort le tresprent,
Devers la teste sur le quer li descent.
Desuz un pin i est alet curant,
Sur l'erbe verte s'i est culchet adenz,
5 Desuz lui met s'espee et l'olifan,
Turnat sa teste vers la paiene gent,
Pur ço l'at fait que il voelt veirement
Que Carles diet et trestute sa gent,
Li gentilz quens, qu'il fut mort cunquerant.
10 Cleimet sa culpe e menut e suvent.
Pur ses pecchez Deu en puroffrid lo guant.

Traduction.

Roland sent que la mort l'envahit, que de sa tête elle lui
descend sur le cœur. Jusque sous un pin il est allé courant,
et il s'est couché sur l'herbe verte, face contre terre. Sous
lui[1], il met l'épée et l'olifant. Il a tourné sa tête du côté de
la race païenne : il a fait cela parce qu'il veut vraiment que
Charles dise, et aussi tous les siens, que, le gentil comte,
il est mort en conquérant[2]. Il bat sa coulpe à faibles coups
et souvent. Pour ses péchés, il tend vers Dieu son gant[3].

---

1. Selon une tradition norvégienne, Roland n'avait pas caché sous lui son épée ;
il l'avait gardée à la main. Cinq hommes s'efforcèrent de la lui faire lâcher, mais
en vain. Alors, Charlemagne tenta à son tour l'opération et réussit : il conserva
le pommeau de l'épée en raison des reliques qu'il contenait ; quant à la lame, il
la jeta dans l'eau et aussi loin qu'il put : il importait, en effet, que personne ne la
portât désormais ; 2. En effet, à Aix, Roland avait juré que, s'il venait à mourir
sur le champ de bataille, ce serait face à l'ennemi et en avant de ses pairs. Charlemagne, à la recherche de son neveu, a lui aussi en tête ce serment d'Aix ; 3. Ce
geste est féodal : Roland considère que Dieu est une manière de suzerain auquel
il offre son gant, symbole de la personne même. *Remettre son gant* à un ambassa-
deur, c'est lui donner plein pouvoir ; *offrir son gant*, c'est livrer sa personne entière ;
jeter son gant, c'est mettre en avant sa force et son courage pour appuyer ce qu'on
avance.

QUESTIONS

SUR LA LAISSE 174. — Comparez le mouvement de cette laisse à son
début avec celui de la laisse 168. Quel effet produit ensuite la lenteur
des gestes du personnage ?

Commentaire philologique et grammatical.

Vers 1. — *Ço... que... :* ce genre de prolepse abonde dans notre texte. Voir le début des laisses 168, 170 et 171.

Vers 2. — *Devers :* « venant du côté de la tête ». Le latin *de versus* signifiait du « côté de ». — *Quer* vient du latin *cor. Q* est souvent suivi de *u* ouvert, mais cet *u* ne joue aucun rôle phonétique et le groupe *qu* est équivalent de *k*.

Vers 4. — *Verte :* il ne faut pas partir d'un *viridam*, qui d'ailleurs aurait donné *verde*, mais de *viridem*, qui a donné *vert*, comme *grandem* a donné *grant*. *Verte* est tout simplement un féminin refait sur le masculin. — *Culchet* vient de *collocatum*, avec un *a* bref. On attend *culchiet*. Mais on a *culchet* à cause de la réduction de *ie* en *e*, propre au dialecte anglo-normand. — *Adenz* vient de *ad dentes :* « face contre terre ».

Vers 5. — *S'* vient du latin vulgaire *sam*, réduction de *suam*, atone. (Voir *m'amie*, où le *m'* vient de *mam*, réduction de *meam*, atone.) Le tour *son epee* date du XIVe siècle.

Vers 7. — *Pur ço que il voelt :* « parce qu'il veut ». *Voelt* vient de *volet*, présent d'un verbe *volere*, qui s'était substitué à *velle* en bas latin.

Vers 8. — *Diet* vient de *dicat*. La forme du subjonctif *que je die* a survécu très longtemps : on la trouve encore au XVIIe siècle. Elle a été finalement supplantée par la forme *dise*, analogique de *disaient*, *disant*.

Vers 9. — La complétive est introduite sans *que* ; mais *que* est exprimé ensuite. — *Cunquerant :* « en vainqueur ». Sur le latin classique *conquirere* s'est formé un verbe populaire *conquaerere*, refait sur *quaerere*. *Conquerant* en est le participe présent substantivé.

Vers 10. — *Menut* vient du latin *minutum*. Il signifie « d'une manière répétée ».

Vers 11. — *Puroffrid* vient de *pro offerire* (forme vulgaire du verbe classique *offerre*). — *Guant* vient du francique *want*, ou *wamp*, devenu en gallo-romain un terme juridique : les Francs offraient le gant solennellement lors de la remise d'une terre.

175   vers 2366-2374

Texte.

Ço sent Rollant de sun tens n'i ad plus,
Devers Espaigne est en un pui agut,
A l'une main si ad sun piz batud :
« Deus, meie culpe vers les tues vertuz
5 De mes pecchez, des granz et des menuz,
Que jo ai fait dès l'ure que nez fui
Tresqu'a cest jur que ci sui consoüt! »
Sun destre guant en ad vers Deu tendut.
Angles del ciel i descendent a lui.

176   vers 2375-2396

Li quens Rollant se jut desuz un pin;
Envers Espaigne en ad turnet sun vis.
De plusurs choses a remembrer li prist,
De tantes teres cum li bers cunquist,
5 De dulce France, des humes de sun lign,
De Carlemagne, sun seignor, kil nurrit.
Ne poet muer n'en plurt et ne suspirt;
Mais lui meïsme ne volt mettre en ubli,
Cleimet sa culpe, si priet Deu mercit :

(suite de la laisse, page 38)

Traduction.

Roland sent que son temps est fini; face à l'Espagne, il
est sur un tertre escarpé. D'une de ses mains il s'est mis à se
frapper la poitrine : « Dieu, par ta grâce, *mea culpa* pour
mes péchés, les grands et les petits, que j'ai faits depuis
l'heure où je naquis jusqu'à ce jour, où me voici abattu! »
Il a tendu vers Dieu son gant droit. Les anges du ciel descendent vers lui.

Le comte Roland est étendu sous un pin; puis il a tourné
son visage vers l'Espagne. Il se prit à se souvenir de maintes
choses, de tant de terres qu'il a conquises, le vaillant, de
douce France, des hommes de son lignage, de Charlemagne,
son seigneur, qui l'a nourri. Il ne peut s'empêcher d'en pleurer et d'en soupirer. Mais il ne veut pas se mettre lui-même
en oubli, il bat sa coulpe et demande à Dieu pardon :

Commentaire philologique et grammatical.

Laisse 175.

Vers 1. — *Ço... :* prolepse, où *ço* est exprimé mais pas *que ;* cette tournure n'est pas rare dans *la Chanson de Roland.*

Vers 2. — *Devers :* « tourné vers » (de *deversus*). — *Pui* vient de *podium* (« monticule ») : le mot est sorti de la langue au XIIIe siècle; il subsiste encore dialectalement, par exemple en limousin. — *Agut* vient du latin *acutum*. La forme *aigu*, refaite d'après *aigre*, apparaît dès le XIIIe siècle, et l'emporte complètement au XVIe (provençal *agut*).

Vers 3. — *Piz* vient du latin *pectus*. — *Si* est une conjonction de copulation : « et ». « Et il a, avec une de ses mains, battu sa poitrine. »

Vers 4. — *Vers les tues vertuz :* « vers ta puissance ». Le repentir est dirigé vers la toute-puissance de Dieu.

Vers 5. — *De :* « à cause de ».

Vers 7. — *Tresque :* « jusque » (vient de *trans quod*). — *Consoüt :* « abattu », participe de *consivre*, verbe qui est sorti de la langue au XIIIe siècle et qui venait d'une forme latine vulgaire *consequere* pour *consequi*. *Consecutum* (avec le premier *u* long) aurait dû donner *conseüt*. Comment a-t-on *consoüt?* Sans doute y a-t-il eu une influence du *u* de *consecutum*. Ainsi s'explique par exemple *bout*, au lieu de *beu* (venant de *bibutum*), et *esporons*, pour *esperons*.

Vers 8. — *Guant :* voir laisse 174, vers 11.

Laisse 176.

Vers 1. — *Jut* vient de *jecuit*, forme qui s'est substituée à la forme classique *jacuit*. De la même façon *debuit* a donné *deut*, puis *dut*.

Vers 2. — *En* vient de *inde*. Ce mot sert à marquer soit la conséquence, soit, comme ici, la suite dans le temps : « alors ». « Alors, il a tourné son visage vers l'Espagne. »

Vers 3. — *Remember* vient de *rememorare*. Le substantif abstrait correspondant *remembrance* existe dans *la Chanson de Roland.*

Vers 5. — *Lign* vient de *lineum*, forme masculine; *ligne* vient de la forme féminine *lineam*. *Lign* existe concurremment avec la forme *lin*. Ces deux formes sortent de la langue au XVe siècle.

Vers 6. — *Nurçit* vient du verbe *nutrire*, qui avait pris le sens de « élever ». Il se dit du suzerain qui « élève » son vassal.

Vers 7. — *Muer* vient de *mutare*. — *Plurt* vient de *ploret*.

──────── **QUESTIONS** ────────

SUR LA LAISSE 175. — Relevez les expressions qui reproduisent à peu près textuellement certaines expressions de la laisse précédente; quel thème nouveau se glisse au milieu de ces reprises? L'effet produit par cette technique.

176 (suite)

Texte.

10 « Veire patene, ki unkes ne mentis,
Seint Lazaron de mort resurrexis
E Daniel des leons guaresis,
Guaris de mei l'anme de tuz perilz
Pur les pecchez que en ma vie fis! »
15 Sun destre guant a Deu en puroffrit;
Seint Gabriel de sa main l'ad pris.
Desur sun braz teneit le chef enclin;
Juntes ses mains est alet a sa fin.
Deus tramist sun angle Cherubin
20 E seint Michel del Peril;
Ensembl'od els sent Gabriel i vint;
L'anme del cunte portent en pareïs.

Traduction.

« Vrai père, qui jamais ne mentis, qui ressuscitas saint Lazare
d'entre les morts, préservas Daniel des lions, préserve mon
âme de tous périls, pour les péchés que j'ai faits dans ma
vie[1]! » Son gant droit il l'a offert à Dieu; saint Gabriel l'a
pris de sa main. Sur son bras il tenait sa tête inclinée; les
mains jointes, il est allé à sa fin. Dieu lui a envoyé son ange
Chérubin[2] et saint Michel du Péril[3]; en même temps qu'eux
arriva saint Gabriel; ils portent l'âme du comte en paradis.

---

1. La prière de Roland est la prière des agonisants telle qu'elle figurait sur les
anciens rituels : « Sauve l'âme de ton serviteur, ô Seigneur, de tous les périls de
l'enfer [...]. Sauve-la de même que tu as sauvé Énoch et Élie et Noé et Abraham
et Job [...]. Accourez ô vous les saints de Dieu; accourez ô vous les anges du Seigneur! Recueillez son âme et présentez-la aux regards du Très-Haut. » Les allusions à saint Lazare et à Daniel sont aussi des évocations rituelles; on les retrouve,
avec d'autres, à la laisse 226; 2. Chérubin, au lieu du troisième archange,
Raphaël. Les chérubins constituent le second chœur dans la hiérarchie des
anges, après les séraphins et avant les trônes; 3. A côté de saint Gabriel, le texte
liturgique nomme saint Michel, le chef des milices célestes. Le rôle de saint Michel
est d'assister les chrétiens dans leur lutte suprême (il est vainqueur de Satan).
Donc, c'est saint Michel qui emporte au paradis l'âme de Roland. C'est à la fête
Saint-Michel que Charlemagne doit recevoir la soumission de Marsile. Cette fête
est l'anniversaire de la consécration par l'évêque d'Avranches de la première
abbaye du Mont-Saint-Michel. On s'est servi de cet ensemble d'allusions pour
affirmer que l'auteur de la *Chanson* était normand (voir Notice, page 12).

QUESTIONS

SUR LA LAISSE 176. — Montrez que cette laisse forme une sorte de
sommet où reparaissent et s'unissent les images et les thèmes essentiels.
Quel rôle prend le chevalier face à Dieu? — Le réalisme et le merveilleux : le poète insiste-t-il beaucoup sur l'apparition des anges?
Comment la sobriété contribue-t-elle à la grandeur de l'image?

Commentaire philologique et grammatical.

Vers 10. — *Veire* vient de *veram* avec *e* long, pluriel neutre de *verus*, « vrai », pris adverbialement. Sous la forme *voire*, il existe encore au début du XVIIe siècle. Mme de Sévigné l'emploie encore. Mais Richelet (1680) écrit : « Il est vieilli, mais se rencontre encore au commencement du siècle ; bientôt il n'est plus guère reçu que dans le burlesque. » Et, dans le Dictionnaire de l'Académie de 1694, on lit : « Oui, vraiment. Il est vieux en ce sens, et ne se dit plus que par ironie, et pour se moquer d'une chose qu'un autre dit. Il est bas. » Le mot est donc abandonné. Mais, au milieu du XIXe siècle, il est repris par la langue littéraire. — *Patene :* forme anglo-normande de *paterne* (prononciation anglaise), qu'on retrouve par exemple dans *matyr* pour *martyr*, *gader* pour *garder*.

Vers 11. — *Resurrexis* pour *resurrexisti :* francisation directe. Il s'agit d'une prière. Même phénomène pour *Lazaron* (de *Lazarum*), *dicton* (de *dictum*) et *evanuit*.

Vers 12. — *Leons :* de *leones*. Le flottement entre les deux formes *leon* et *lion* est analogue à celui que l'on retrouve entre *agreable* et *agriable*. — *Guaresis. Guerir* vient du francique *warjan* (allemand *wehren*, « protéger »). La terminaison *esis* s'explique par l'influence des formes de parfait fortes, du type *dis, desist, dist* (cf. *secouresis*, au lieu de *secourus*). Le phénomène cesse à partir du XIVe siècle.

Vers 13. — *De mei :* emploi du complément déterminatif au lieu du possessif (« l'honneur de moi et de mon seigneur »).

Vers 17. — *Enclin :* « incliné ». Adjectif déverbal construit sur *inclino*, première personne de l'indicatif présent au singulier du verbe *inclinare*, qui en ancien français a donné *encliner*.

─────── **QUESTIONS** ───────

● SUR L'ENSEMBLE DES LAISSES 168-176. — Appréciez la place donnée à ce récit : montrez que la mort de Roland, après tant d'autres morts précédemment contées, est le dernier terme d'une habile gradation.
— Étudiez-en la composition ; marquez les divers moments de la scène : la valeur de chaque détail et la subordination à l'ensemble.
— Étudiez l'art du récit : la progression de la mort ; la résistance de l'épée et la portée du symbole qu'elle exprime ; les gestes et les attitudes de Roland.
— Le personnage et ses sentiments : montrez ce qu'offre de pathétique, dans le décor saisissant du paysage, la figure héroïque de Roland, rude vainqueur, seul en face de la mort.
— Montrez qu'il y a en lui : *a)* un preux (l'éloge de l'épée, compagne du guerrier ; la fierté et l'orgueil du soldat ; le souci de l'honneur militaire) ; *b)* un homme (le regret des êtres aimés ou vénérés ; son attendrissement) ; *c)* un chrétien (sa piété et son humilité ; le martyr et le saint).
— Montrez la riche complexité du caractère et, malgré les proportions épiques, la vraisemblance du personnage ; particulièrement faites voir qu'il nous émeut parce que sa douleur nous reste accessible.
— Opposez cette présentation du héros aux diverses images que le poème nous a déjà données de lui.
— Le sens épique : l'agrandissement des faits et des gestes.
— Le merveilleux chrétien ; jugez-en l'emploi et l'adaptation à la scène précédente.
— Les procédés narratifs : la reprise des mêmes thèmes avec des variantes ; la symétrie des laisses ; jugez ces procédés. Quel rythme donnent-ils au développement de tout l'épisode ?

LE CHÂTIMENT DES PAÏENS

LA DÉROUTE DES SARRASINS

177

vers 2397-2417

Texte.

Morz est Rollant, Deus en ad l'anme es cels.
Li emperere en Rencesvals parvient.
Il nen i ad ne veie ne senter,
Ne voide tere, ne alne ne plein pied,
5 Que il n'i ait o Franceis o païen.
Carles escriet : « U estes vos, bels niés?
U est l'arcevesque? e li quens Oliver?
U est Gerins e sis cumpainz Gerers?
U est Otes? e li quens Berengers?
10 Ive e Ivorie, que jo aveie tant chers?
Qu'est devenuz li Guascuinz Engeler?
Sansun li dux? e Anseïs li bers?
U est Gerard de Russilun li Veilz?
Li XII per, que jo aveie laiset? »
15 De ço qui chelt, quant nul n'en respundiet?
« Deus! » dist li reis, « tant me pois esmaier
Que jo ne fui a l'estur cumencer! »
Tiret sa barbe cum hom ki est iret;
Plurent des oilz si baron chevaler;
20 Encuntre tere se pasment XX millers;
Naimes li dux en ad mult grant pitet.

Traduction.

Roland est mort, Dieu a son âme dans les cieux. L'empereur parvient à Roncevaux. Il n'y a route ni sentier, ni coin vide, ni d'une aune, ni d'un pied où ne gise un Français ou un païen. Charles s'écrie : « Où êtes-vous, beau neveu? Où est l'archevêque? et le comte Olivier? Où est Gérin et son compagnon Gérier? Où est Oton? et le comte Bérenger? Ivon et Ivoire, que je chérissais tant? Qu'est devenu le Gascon Engelier? le duc Samson? le preux Anseïs? Où est Girard de Roussillon, le Vieux? Les douze pairs que j'avais laissés? » Mais à quoi bon, quand personne ne répond? « Dieu, dit le roi, que j'ai sujet de me désoler de n'avoir point été là lors du début de la bataille! » Il tire sa barbe comme un homme irrité; ses barons chevaliers pleurent; contre terre vingt mille se pâment; Naimes le duc en a très grande pitié.

Commentaire philologique et grammatical.

Vers 1. — *En* désigne une personne : cet emploi sera encore considéré comme correct au XVIIe siècle. — *Anme* : il existe concurremment les formes suivantes : *anima* (Xe siècle, *Séquence de sainte Eulalie*), *aneme* (XIe siècle, *Vie de saint Alexis*), *ame* (XIIIe siècle), *alme*, *arme*, variantes dialectales. — *Es cels* : le *n* de *en* a disparu en vertu de la règle des trois consonnes. *Cels* est la forme anglo-normande : *ciels* réduit à *cels*.

Vers 3. — *Nen* : affaiblissement phonétique de *non*; plus tard, on aura *ne*. Voir le vers 12 de la laisse 173. — *I ad* est suivi du cas régime. — *Senter* : le latin *semita* a donné *sente* (le premier *e* est long; dans *femita*, où le *e* est bref, on a *fiente*). Sur *semita*, on a construit *semitarium*, qui a donné *sentier*. Là-dessus est intervenue la réduction *ie* en *e*, spéciale à l'anglo-normand.

Vers 4. — *Voide tere* : « terrain vague ». Les formes romanes de *voide* reposent sur *vocitus*, participe d'un verbe *voceo*, lequel participe avait remplacé l'adjectif *vacuus; vocitum* a donné *vuit* et *vuide*. Le verbe *voceo* a dû doubler *vacare* par un phénomène d'analogie proportionnelle : *voceo* serait à *vocitus* comme *moneo* à *monitus*. L'ancien français *vuide* s'explique par une diphtongaison *o* ouvert + *yod* : de même que *octo* a donné *huit*, *vocitam* a donné *vuide*, *vocitum* a donné *vuit*; *voide* serait dialectal. (Cf. *oil* au lieu de *ueil*.) Peut-être aussi *voide* est-il un adjectif déverbal tiré de la troisième personne du singulier : *vocitat* aurait donné *voide* (radical atone). — *Pied* vient de *pedem*, lequel a d'abord servi à désigner une unité de mesure, puis un espace plan. — *Alne* : *alnus* à l'époque classique servait à désigner un arbre, tantôt une barque, tantôt un arbre. Il semble qu'il faille partir du francique *alina*, « avant-bras » (allemand *Elle*). On a songé aussi à *alinus*, et l'on aurait eu *alinum*, *aune*, comme *asinum*, *ane*. Le *e* se développe normalement après *l* + consonne nasale. (Exemple : *heaume*, venu de *helm*.)

Vers 5. — *Franceis* vient de l'accusatif *francensem*. — *Païen* vient de *paganum*.

Vers 6. — *Escriet*. Sur *quirites*, on a forgé le verbe *quiritare*. D'où, en latin vulgaire, *cridare* (provençal *cridar* et français *crier*). — *Niés* vient de *nepos*, avec diphtongaison normale du *e* bref accentué en *ie*.

Vers 15. — *Chelt* vient de *calet*. L'infinitif *calere* a donné *chaleir* en normand et *chaloir* en francien. Il a d'abord voulu dire « s'échauffer », puis « avoir une idée à cœur ». Dans *calet* le *a* est libre et *a* bref accentué devait donner *ie*, mais il y a eu réduction normande du *i*, et l'on a eu *chelt* au lieu de *chielt*. — *Respundiet* : en latin classique, il existait des parfaits *vendidi*, *perdidi*. Par analogie avec *dedi*, ils sont devenus *perdedi*, *vendedi*; il en a été de même pour *respondi*, devenu *respondedi*. Il y a eu chute du second *d*. D'où *respondei*, et *e* bref accentué donnant *ie*, on a eu *respondiei*. A la troisième personne, *respondedit* a donné *respondiet*.

─────── **QUESTIONS** ───────

Sur la laisse 177. — La place de cette laisse dans la construction dramatique de la *Chanson* : quelle étape marque-t-elle par comparaison aux laisses 83-86, 135-136 et 156? A quel moment le poète fait-il arriver Charlemagne? — Étudiez la composition de cette laisse : elle contient un lieu commun littéraire et une vision dramatique; montrez comment par les attitudes des personnages l'auteur crée une mise en scène grandiose.

178   vers 2418-2442

Texte.

    Il n'en i ad chevaler ne barun
    Que de pitet mult durement ne plurt;
    Plurent lur filz, lur freres, lur nevolz
    E lur amis e lur lige seignurs;
5 Encuntre tere se pasment li plusur.
    Naimes li dux d'iço ad fait que proz,
    Tuz premereins l'ad dit l'empereür :
    « Veez avant de dous liwes de nus,
    Vedeir puez les granz chemins puldrus,
10 Qu'asez i ad de la gent paienur.
    Car chevalchez! Vengez ceste dulor!
    — E! Deus! » dist Carles, « ja sunt il ja si luinz!
    Cunsentez mei e dreiture e honur;
    De France dulce m'unt tolue la flur. »

(suite de la laisse, page 46)

Traduction.

    Parmi eux, il n'y a chevalier ni baron qui de pitié ne pleure fort douloureusement; ils pleurent leurs fils, leurs frères, leurs neveux et leurs amis et leurs seigneurs liges[1]; contre terre, ils se pâment très nombreux. Le duc Naimes a agi en preux; le tout premier il a dit à l'empereur : « Regardez devant nous à deux lieues, vous pouvez voir les grands chemins poudreux, combien ils sont couverts de l'engeance sarrasine. Chevauchez donc! Vengez cette douleur! » — « Eh! Dieu! dit Charles, ils sont déjà si loin! Accordez-moi et mon droit et mon honneur! De douce France ils m'ont ravi la fleur! »

---

    1. *Seigneur lige, homme lige :* celui qui a promis à son suzerain une fidélité sans restriction.

Commentaire philologique et grammatical.

Vers 1. — *Chevaler*, pour *chevalier* : réduction anglo-normande de *ie* en *e*.

Vers 2. — *Pitet* vient de *pietatem*. — *Plurt* vient de *ploret*.

Vers 3. — *Filz* vient de *filios*. — *Nevolz* : le latin *nepotem* (avec un *o* long) a donné *nevoud*, *nevold*. Le *o* fermé latin devient en français *u* bref ou *o* long. Ainsi, dans ce texte, on rencontre *flur*, venant de *florem* avec un *o* long. Cet *o* long a tendance à se diphtonguer en *ou*. Dans notre texte, on trouve des formes comme *plourt* et *seignour*. — *Lur* vient de *illorum*. Il n'y a pas encore accord avec le substantif, car la valeur du génitif latin complément du nom est encore sensible.

Vers 4. — *Lige* signifie « libre »; on rencontre concurremment la forme *liege*. L'origine en est obscure : c'est un terme féodal qui peut venir du bas latin *laeticus* ou *liticus*. Les *gloses malbergiques* définissent un mot latin *letus* par « une sorte de vassal »; d'autre part, dans la *loi salique*, il existe un mot *litus*. Cela fait supposer un terme francique *lepu*. (Comparez avec l'allemand *ledig* « libre », l'ancien provençal *ligeza*, « droit du seigneur lige ».) Les *letes* étaient les colons établis en Gaule avant l'invasion franque. Ils furent admis au sein de la communauté franque comme hommes libres : ils constituèrent donc une race de seigneurs, une classe privilégiée.

Vers 5. — *Plusur* : la forme *plures* est devenue, en bas latin, *pluriores* (reconstruction de *plures* d'après les comparatifs en *ior*). Sous l'influence de *plus*, on a eu alors *plusiores*. *Plusiores* a donné *pluisors*. La réduction anglo-normande de *ui* à *u* a donné *plusurs*.

Vers 6. — *D'iço* : « au sujet de cela, dans cette circonstance ». — *Ad fait que proz* : « a agi en chevalier ». (Cf. « faire que fols ».) *Proz* : du latin *prodesse* on a tiré *prode*, attesté dès le IVe siècle : *prode est* pour *prodest*. *Prode* a dû être pris pour un substantif neutre signifiant « profit, avantage ». A comparer avec le français *prou* employé jusqu'au XVIIe siècle au sens de « beaucoup, assez » (qui n'est autre que l'ancien substantif *prou*, *preu*, « profit, avantage », usuel jusqu'au XVe siècle).

Vers 7. — *Premereins* : le latin classique *primarius* avait un dérivé *primaranus;* il y eut ensuite un *primaranius*, qui a donné *premereins*. De même le latin vulgaire *deretranus* a donné *derrain*. *Deretranarius* a donné *derrenier*, *darrenier* jusqu'au XIIIe siècle, puis *dernier* à partir du XVe siècle. D'ailleurs, c'est *derrain* qui a influencé le latin *de retro* pour donner *derrière*. — *Empereür* : régime, à valeur de complément indirect. — *Le* : prolepse de tout le discours en style direct.

Vers 8. — « Voyez en avant à deux lieues de nous ». *De* marque la distance : « à deux lieues de nous ». — *Liwes* : forme normano-picarde. Il existait un mot latin *leuca*, *leuga*, que saint Jérôme signale comme étant gaulois. On a eu successivement *legua*, *lewa* (avec *e* ouvert), *liewa*, et *liwe* (réduction anglo-normande de *ie* à *e*). On peut comparer avec l'évolution du latin *aqua* : là où il y a eu chute ancienne de *q* (à Paris par exemple), on a eu successivement *ive* et *eve* (mot encore vivant en Poitou); dans le Nord et l'Est, entre le *e* et le *w* s'est développé un *a* : et l'on a eu *eawa*, *eaue*.

Vers 9. — *Puldrus* : adjectif construit sur *pulverem* et le suffixe *osus*.

Vers 10. — *Paienur* vient de *paganorum*, comme *francor* de *francorum*. Il y a là un vestige du génitif ancien.

Vers 12. — *Luinz* vient de *longe*, auquel s'est ajouté le *s* adverbial.

Vers 13. — *Cunsentez mei* : « accordez-moi » (vient du latin *consentire*); se trouve déjà au Xe siècle dans la *Vie de saint Léger*.

Vers 14. — *Tolue* : le verbe *tollere* a donné *toldre*. Mais il y a eu généralisation du participe passé passif en *utum*.

Phot. Roger-Viollet.

LES SARRASINS (en haut, à gauche) SE PRÉPARENT AU COMBAT

Miniature tirée des *Chroniques et conquêtes de Charlemagne* (XVe siècle).

ROLAND SONNANT DE L'OLIFANT

Miniature tirée des *Chroniques et conquêtes de Charlemagne* (XVᵉ siècle).

178 (suite)
Texte.

15 Li reis cumandet Gebuin e Otun,
   Tedbalt de Reins e le cunte Milun :
   « Guardez le champ e les vals e les munz.
   Lessez gesir les morz tut issi cun il sunt,
   Que n'i adeist ne beste ne lion,
20 Ne n'i adeist esquier ne garçun;
   Jo vus defend que n'i adeist nuls hom,
   Josque Deus voeille qu'en cest camp revengum. »
   E cil respundent dulcement, par amur :
   « Dreiz emperere, cher sire, si ferum! »
25 Mil chevaler i retienent des lur.

Traduction.

Le roi appelle Géboin et Othon[1], Tedbalt de Reims et le
comte Milon : « Gardez le champ et les vaux et les monts.
Laissez les morts gisant tels qu'ils sont, que n'y touche ni
bête ni lion[2], que n'y touche écuyer ni valet; je vous interdis
de laisser approcher quiconque, jusqu'à ce que Dieu consente
que nous revenions en ce champ. » Eux, doucement, avec
amour, répondent : « Droit empereur, cher sire, ainsi ferons-
nous! » Des leurs ils retiennent là mille chevaliers.

---

1. Il s'agit d'un autre Othon que de celui que vient de pleurer Charlemagne
(laisse 177); **2.** Peut-être s'agit-il de formules liturgiques : le lion symbolise le
démon, et les dragons, l'enfer.

━━━━━━ **QUESTIONS** ━━━━━━━━━━━━━━━━━

SUR LA LAISSE 178. — Les trois moments de cette scène : quel sentiment succède immédiatement à la douleur? Est-ce cependant une réaction irraisonnée? Montrez que le mouvement dramatique garde cependant une grave lenteur. — Le rôle de Naimes : comparez-le au rôle
joué dans des épisodes antérieurs.

Commentaire philologique et grammatical.

Vers 18. — *Gesir* vient de *jacere* avec le premier *e* long. — *Issi : si* vient de *sic ;* *i* est une particule servant à désigner, et que l'on retrouve dans *i-tout, i-tant, i-tel, i-celui*. — *Cun* vient de *quomodo*, réduit à *quomo*.

Vers 19. — *Adeist :* subjonctif de *adeser*, venant de *ad-densare*. Le verbe *densare* a été reconstruit en latin vulgaire sur l'adjectif *densus*.

Vers 20. — *Esquier :* le mot vient du bas latin *scutarius* (« celui qui porte l'écu », de *scutum*, le « bouclier », l' « écu »). Il y a eu apparition d'un *e* initial comme dans bon nombre de mots d'origine populaire. Et on trouve au XIIᵉ siècle la forme *escuier*. L'écuyer eut bientôt des fonctions différentes : il s'occupa des chevaux, puis il fut maître d'équitation. Il fut ensuite « celui qui monte bien à cheval » : ce dernier sens date du XVIIIᵉ siècle. Avec le temps, le mot prit un sens de plus en plus noble. Au contraire, le mot *escuerie* (XIIIᵉ siècle) servit d'abord à désigner la fonction d'écuyer, puis le local réservé aux chevaux et à leurs écuyers, enfin le local réservé aux chevaux. L'ensemble de cette évolution a été influencé par le mot latin *equus*. — *Garçun :* « homme de basse condition », « goujat ». Le mot vient sans doute du francique *wrakjo* (*wracchio* est un nom propre attesté au IXᵉ siècle). — *Garçon* est le cas oblique ; *gars*, le cas sujet. Le sens d' « employé subalterne » est encore courant au XVIIᵉ siècle : « Il n'est pas jusqu'au fat qui lui sert de garçon » (Molière, *le Tartuffe*, vers 203).

Vers 21. — *Nuls* est la forme phonétiquement régulière : elle représente le latin *nullus*.

Vers 22. — *Revengum :* exemple de subjonctif en *gam*, du type *surgam*, qui a donné *surge* et, par analogie, *veniam, venge*. — *Josque* vient de *deusque*. Il y a eu confusion avec *nusquam*. D'où *jusque*. Le *o* s'explique par une influence de *deorsum ;* c'est ainsi que *sursum* a donné *sos*, et non *sus*.

Vers 25. — *Mil* représente phonétiquement le singulier latin *mille ;* la forme actuelle *mille* représente phonétiquement le pluriel neutre latin *milia :* la forme *milie* est d'ailleurs attestée au XIIᵉ siècle. De bonne heure, on s'est mis à user des deux formes indifféremment.

179   vers 2443-2457

Texte.

Li empereres fait ses graisles suner,
Puis si chevalchet od sa grant ost li ber.
De cels d'Espaigne unt lur les dos turnez,
Tenent l'enchalz, tuit en sunt cumunel.
5 Quant veit li reis le vespres decliner,
Sur l'erbe verte descent li reis en un pred,
Culchet sei a tere, si priet Damnedeu
Que li soleilz facet pur lui arester,
La nuit targer et le jur demurer.
10 Ais li un angle ki od lui soelt parler,
Isnelement si li ad comandet :
« Charle, chevalche, car tei ne falt clartet.
La flur de France as perdut, ço set Deus.
Venger te poez de la gent criminel. »
15 A icel mot est l'empereres muntet.

Traduction.

L'empereur fait sonner ses clairons, et puis il chevauche,
le preux, avec sa grande armée. A ceux d'Espaigne ils ont
fait tourner le dos, ils tiennent la poursuite, tous ensemble.
Quand le roi voit décliner le soir, le roi descend sur l'herbe
verte en un pré, se couche à terre et prie notre Seigneur de
faire pour lui arrêter le cours du soleil, tarder la nuit et
prolonger le jour[1]. Alors un ange qui avait coutume de lui
parler[2] a eu tôt fait de lui donner ce commandement :
« Charles, chevauche, car à toi la clarté ne fait pas défaut.
Tu as perdu la fleur de France, Dieu le sait. Tu peux te venger de l'engeance criminelle! » A ce mot, l'empereur est
monté à cheval.

---

1. Il y a là un souvenir du Livre de Josué, dans la Bible : à la prière de celui-ci,
Dieu arrêta le cours du soleil et de la lune, pour permettre l'écrasement des troupes
des Amorrhéens en fuite. Même source d'inspiration dans la *Chronique de Mois-
sac* (1050), où est relaté un miracle du même genre, opéré là aussi sur la demande
de Charlemagne; 2. Cet ange à la voix familière n'est autre que saint Gabriel
(voir aussi laisses 185 et 203).

--- QUESTIONS ---

SUR LA LAISSE 179. — Pourquoi avoir imaginé que Dieu fait en faveur
de Charlemagne exactement le même miracle que rapporte un épisode
connu de la Bible? Que pouvaient penser les auditeurs de ces rapports
de Charles avec *le Seigneur Dieu?* — L'effet de grandeur donné ici
par la sobriété et le dépouillement. Comparez à la laisse 176 : est-ce
toutefois le même emploi du merveilleux?

Commentaire philologique et grammatical.

Vers 1. — *Graisles :* d'un adjectif *grail, graille,* usité au XIᵉ et au XIIᵉ siècle et issu du latin *gracilis,* on a tiré un nom commun servant précisément à désigner un instrument de musique au son grêle. A comparer avec *grelot,* dont le pluriel *griloz* est attesté dès la fin du XIVᵉ siècle.

Vers 3. — « Ils ont forcé ceux d'Espagne à leur tourner le dos. »

Vers 4. — *Enchalz :* déverbal de *enchalcier* (*encauchier* en picard), verbe qui a vécu du XIᵉ au XIVᵉ siècle et dont l'origine phonétique est un verbe latin vulgaire *incaceare,* forgé sur *calcem,* « talon ». *Enchalz,* formé sur la première personne de l'indicatif présent, signifie « poursuite ». Ce nom verbal a vécu du XIᵉ au XIIIᵉ siècle. — *Tuit :* « tous ». Le latin vulgaire *tottus* (avec *o* bref) se substitua à basse époque au latin classique *totus* (avec *o* long). *Totus* signifiait « tout entier »; *tottus* a pris le sens de *omnis :* « tout, chaque ». La présence du *i* s'explique par un croisement avec *cunctus.* — *Cumunel :* le latin *communem* a donné *comun,* attesté dès les Serments de Strasbourg *(commun).* On y a ajouté le suffixe *alem,* d'où *communalem,* qui a donné *communelement,* puis *communement.*

Vers 5. — *Reis* vient phonétiquement de *rex.* La forme *rei, roi,* vient du cas régime *regem* et elle s'est généralisée. — *Vespres :* le mot vient du latin *vesperum* auquel s'est ajouté le *s* du cas sujet. Il signifie « soir », « crépuscule ». Le pluriel *vêpres* se rattache au bas latin *vespera,* qui est un féminin singulier refait sur le pluriel du neutre *vesperum.*

Vers 7. — *Culchet* représente le latin *collocat* (*locare,* « placer »; *locum,* « lieu », « placer dans le lieu »; d'où *colchier* et *coucher*). — *Si :* « et ». — *Damnedeu :* on trouve aussi les formes *Damedeu, Damede.* Le mot signifie « Seigneur Dieu », « Dieu »; il a été formé à partir des deux formes latines *Domine* et *Deus.* Le mot a disparu aux environs du XIIIᵉ siècle. L'interjection moderne « dame! » en est sans doute une survivance, tout comme l'expression plus ancienne « Dieu me damne » semble venir d'une interprétation fautive de « Damnedeu ».

Vers 9. — *Targer,* réduction anglo-normande de *targier,* remonte au latin *tardicare,* fréquentatif de *tardare,* qui a donné *tarder.* On trouve à l'époque de la *Chanson* les deux formes *targier* et *tardier.*

Vers 10. — *Ais :* ecce a donné *es.* Dans une expression courante, *es les vos,* il y a eu dissimilation vocalique, et on a eu *as les vos. Ais* est peut-être aussi une simple graphie pour *es* de *ecce.*

Vers 12. — *Tei* vient de *tibi,* influencé par *mihi.*

Vers 14. — *Poez* vient de *potes* (verbe *potere,* qui a pris en bas latin la place et la signification de *posse*).

180

vers 2458-2475

Texte.

Pur Karlemagne fist Deus vertuz mult granz,
Car li soleilz est remés en estant.
Paien s'en fuient, ben les chalcent Franc.
El Val Tenebrus la les vunt ateignant,
5 Vers Sarraguce les enchalcent ferant,
A colps pleners les en vunt ociant,
Tolent lur veies e les chemins plus granz.
L'ewe de Sebre, el lur est dedevant :
Mult est parfunde, merveilluse e curant ;
10 Il n'en i ad barge, ne drodmund ne caland.
Paiens recleiment un lur deu, Tervagant,
Puis saillent enz, mais il n'i unt guarant.

(suite de la laisse, page 52)

Traduction.

Pour Charlemagne, Dieu accomplit une grande merveille :
voici que le soleil interrompt sa course. Les païens s'enfuient.
Les Francs fermement les poursuivent. Au Val-Ténébreux,
ils les rejoignent ; ils les frappent et les refoulent vers Saragosse, ils font pleuvoir les coups et les massacrent, ils leur
coupent les routes et les chemins les plus larges. Voici devant
eux les eaux du Sèbre[1] ; elles sont profondes, et le courant
est merveilleusement violent ; il n'y a ni barge, ni dromon[2],
ni chaland. Les païens invoquent un de leurs dieux, Tervagant. Puis ils sautent, mais là nulle protection !

---

1. Il est difficile d'identifier ce fleuve : malgré la consonance, il ne saurait être
question de l'Ebre ; il s'agit peut-être de la Sègre, rivière de Catalogne. Ce genre
d'imprécision n'est pas rare dans les noms géographiques de la *Chanson* ; 2. *Dromon* : bateau de guerre à rames.

─────── **QUESTIONS** ───────

SUR LA LAISSE 180. — Comment se marque l'enthousiasme du poète?
— Comparez l'efficacité de la prière adressée par les païens à Tervagant avec celle de la prière adressée par Charlemagne ; pourquoi le
poète a-t-il fait ce parallèle? Est-ce la première fois dans la *Chanson* que
la puissance du Dieu des chrétiens et celle des dieux païens sont oppo-
sées? — Montrez que le poète, tout en utilisant le miracle, ne se laisse
pas entraîner à l'excès et à l'invraisemblable. Ne pourrait-on même
découvrir ici une discrétion un peu étonnante sur le thème de la bataille,
si familier au poète de la *Chanson*?

Commentaire philologique et grammatical.

Vers 1. — *Vertuz mult granz :* « un miracle très grand ». *Vertuz* vient du pluriel latin *virtutes*, qui avait déjà le même sens : dès le IVe siècle (Sulpice Sévère), *virtutes* au pluriel a eu le sens de « miracle » au singulier. Ce sens paraît être dû à un emploi pluriel de noms abstraits du type *altitudines montium :* « l'altitude (singulier traduisant un pluriel) des montagnes ».

Vers 2. — *Car* a le sens du latin *enim* : il sert en effet à développer le sens de *vertuz.* — *Remés* est le participe régulièrement issu de *remansum :* « resté ». — *Estant* a le sens de *stare :* « être immobile » (étymologiquement il y a *stare*, précédé du *e* populaire du type « estatue »).

Vers 3. — *Chalcent :* « poursuivent ». Il faut partir du latin vulgaire *calcea* (pour le classique *calceus*), qui a donné *chausse ;* d'où *chausser.* Nous nous trouvons ici devant un cas unique où ce verbe signifie « poursuivre ». Il semble avoir pris exceptionnellement le sens de *enchaussier* (provençal *encalcar*), venu de *incalceare* (voir le vers 4 de la laisse 179).

Vers 4. — *La :* « c'est là que ... ». Il y a reprise du complément circonstanciel. — *Vunt ateignant :* se rappeler une tournure du bas latin attestée dans l'*Appendix Probi*, notamment, *ibant trahendo comas. Vunt ateignant* est la transposition d'un état latin, et non une tournure proprement française.

Vers 6. — *A colps pleners :* « de toutes leur forces », littéralement « avec des coups complets » (à comparer avec l'expression *a hanstes pleners :* « avec des lances frappant tout entières »). — *Les en vunt ociant :* même emploi d'*aller* qu'au vers 4. Il y a ici un emploi de *en*, que la langue a fini par abandonner, avec le verbe *aller ;* en français moderne, cet emploi n'a subsisté que dans le cas de *aller* employé comme réfléchi subjectif : « je m'en vais ».

Vers 7. — *Tolent :* « enlèvent », troisième personne du pluriel de l'indicatif présent du verbe *toldre*, *toudre*, issu de *tollere.* — *Veies* vient de *vias.* — *Les chemins plus granz :* « les chemins les plus grands ». L'ancien français se contentait du premier article devant le substantif d'où dépend le superlatif.

Vers 8. — *Ewe* vient de *aqua*, avec chute antérieure de *q :* et *awa* a donné *eve.* Là où le *q* a persisté, dans l'Est par exemple, *qw* a fait apparaître une diphtongue et l'on a eu *awa, eau.* — *El* vient de *illa* et signifie « elle ». *Illa* (avec *i* bref) a donné *elle*, et cette forme est bientôt devenue *el* lorsque *elle* est suivi d'une voyelle. Exemple : « el(le) a fait » devenu « el a fait ». Nous nous trouvons donc en présence d'un phénomène de phonétique syntaxique. Là-dessus, on a tendu à étendre *el* à tous les cas, même à ceux où une consonne suivait immédiatement. Cela d'autant mieux qu'une symétrie s'établissait ainsi entre *il* masculin et *el* féminin. Du point de vue de la syntaxe, il faut remarquer l'emploi du pronom sujet *el*, alors que le sujet est déjà exprimé. Ce tour a subsisté dans nos parlers rustiques.

Vers 9. — *Parfunde :* l'ancienne langue employe toujours cette forme. Ce n'est qu'au XVIe siècle qu'apparaissent les formes *proufont* et *profond* issues de *profundum* (avec *o* long et *u* bref). Comment expliquer *par?* On a songé à une influence de *per*, devenu *par*, et il y aurait eu substitution de suffixe. Il est plus vraisemblable qu'il y a eu dissimilation vocalique. C'est le cas par exemple de *rotundum* (*o* long suivi de *u* bref, donc succession de deux *o* fermés), qui a donné *reond* en ancien français.

Vers 10. — *Barge :* le mot vient du latin *barca* (IIe siècle), influencé par le grec *baris*, qui servait à désigner les felouques égyptiennes. Ce *baris* avait dû avoir un dérivé *barica*, qui a donné *barge*, « embarcation ». — *Drodmund :* le *d* est l'œuvre d'un scribe. Il faut partir du grec *dromon*, « vaisseau ».

Vers 11. — *Un lur deu :* « un dieu à eux », cette tournure est à rapprocher de « un mien cousin ». *Lur* (*o* fermé) vient de *illorum* (*o* long).

Vers 12. — *Saillent :* « sautent » (vient de *saliunt*). — *I :* « en cette circonstance ». — *Guarant :* « protecteur ».

180 (suite)

Texte.

Li adubez en sunt li plus pesant,
Envers les funz s'en turnerent alquanz;
15 Li altre en vunt cuntreval flotant;
Li miez guariz en unt boüd itant
Tuz sunt neiez par merveillus ahan.
Franceis escrient : « Mare fustes, Rollant! »

181 vers 2476-2487

Quant Carles veit que tuit sunt mort paiens,
Alquanz ocis e li plusur neiet,
Mult grant eschec en unt si chevaler,
Li gentilz reis descendut est a piet,
5 Culchet sei a tere, sin ad Deu graciet.
Quant il se drecet, li soleilz est culchet.
Dist l'emperere : « Tens est del herberger;
En Rencesvals est tart del repairer.
Noz chevals sunt e las e ennuiez.
10 Tolez lur les seles, lé freins qu'il unt es chefs,
E par cez prez les laisez refreider. »
Respundent Franc : « Sire, vos dites bien. »

Traduction.

Ceux qui sont tout armés sont les plus pesants, ils coulent
au fond du fleuve, et ils sont nombreux; les autres, au fil
de l'eau, flottent. Les moins malheureux ont bu tellement
que tous sont noyés, en merveilleuse angoisse. Les Français s'écrient : « C'est grand pitié de vous, Roland! »

Quand Charles voit que tous les païens sont morts,
quelques-uns tués et la plupart noyés, et l'immense butin
conquis par ses chevaliers, il met pied à terre, le noble roi,
il se prosterne contre terre, rend grâces à Dieu. Quand il
se relève, le soleil est couché. L'empereur dit : « Il est temps
de planter les tentes; il est tard pour reprendre le chemin
de Roncevaux. Nos chevaux sont las et recrus. Otez les
selles et les freins! Que par ces prés ils se refassent! » Les
Francs répondent : « Sire, vous dites bien! »

Commentaire philologique et grammatical.

Laisse 180.

Vers 13. — *Adubez* : « équipés ». *Adubez* est d'origine scandinave. On peut comparer avec le français moderne « radouber ». — *En* : « parmi les païens ». Sens de l'ensemble du vers : « Ceux qui parmi eux sont armés sont les plus pesants. »

Laisse 181.

Vers 1. — *Paiens* : le *s* n'est pas conforme à la déclinaison. *(Pagani* donne *paien.)* Au vers suivant, on a une autre preuve que la déclinaison à deux cas commence déjà à s'altérer : dans *aliquanz*, *z* n'est pas non plus conforme à la déclinaison *(aliquanti* donne *alquant).*

Vers 2. — *Neiet* : il faut partir de *necare*. Dans les textes mérovingiens, le mot signifie « tuer par immersion ». Le sens de *necare* a été transféré à *ocir* et à *tuer*. *Necare* a disparu à cause de la disparition de *nex*.

Vers 3. — *Eschec* : « butin » (vient du germanique *schasch*) : à comparer avec le provençal *eskak*.

Vers 5. — *Culchet* vient de *collocat* : le pronom régime est postposé sous forme tonique. — *Sin*, de *sic inde* : « et de là il a remercié Dieu ».

Vers 6. — *Se drecet* : « se relève ». C'est la troisième personne du singulier de l'indicatif présent de *se drecier*, verbe qui vient du latin populaire *directiare*, issu de *directus*. — *Culchet* vient ici de *collocatum*.

Vers 7. — *Herberger* : dans les *gloses de Reichenau*, il existe une forme *heriberga* glosée en *castra*. De fait, le nom *Herberge* est attesté dans la *Vie de saint Alexis*. Le francique *heriberga* signifie « une protection de l'armée » (*heri* : « armée », forme annonçant l'allemand *Heer; bergen* : « cacher »). Sur *heriberga*, il y a eu un verbe *heribergare*, en gallo-roman *heribergan* signifiant « camper ».

Vers 8. — Traduction littérale : « il est tard au sujet de revenir à Roncevaux ».

Vers 9. — *Ennuiez* : « accablés ». Sur l'expression latine *in odio esse* (« être un objet de haine ») s'était formé un verbe *inodiare;* d'où le sens très fort de *ennuyer*, jusqu'à l'époque classique.

Vers 10. — *Lé* : « les ». La chute du *s* devant consonne sonore est un phénomène ancien. (Exemple : *isle* devenu *ile*.) Or ici la disparition se produit devant une sourde « freins » : la tendance s'accentue.

Vers 11. — *Refreider* vient directement du latin *refrigidare*. *Refroidir* a été refait sur *froid*, comme on a refait *verdir* sur *vert* et *blanchir* sur *blanc*.

182

vers 2488-2495

Texte.

Li emperere ad prise sa herberge.
Franceis descendent en la tere deserte,
A lur chevals unt toleites les seles,
Les freins a or e metent jus des testes;
5 Livrent lur prez, asez i ad fresche herbe :
D'altre cunreid ne lur poeent plus faire.
Ki mult est las, il se dort cuntre tere.
Icele noit n'unt unkes escalguaite.

Traduction.

L'empereur établit là son campement. Les Français mettent pied à terre en ce lieu désert; ils enlèvent les selles de leurs chevaux, et leur ôtent de la tête les brides ornées d'or; ils les laissent aller dans les prés; il y a là assez d'herbe fraîche; ils ne peuvent leur donner d'autres soins. Ceux qui sont las s'endorment sur la terre. Il n'y eut point de guet cette nuit-là.

──────── **QUESTIONS** ────────

SUR LES LAISSES 181 ET 182. — Quelle impression nous fait le camp des Français à ce moment? Montrez le caractère d'humanité quotidienne qui se dégage de ces deux laisses?

Commentaire philologique et grammatical.

Vers 1. — *Li emperere :* cas sujet, qui devrait comporter un *s* (voir le premier vers de la laisse 179, page 48). Le signe grammatical du cas sujet n'est cependant pas si nécessaire, qu'il ne puisse disparaître, comme ici, pour la nécessité de la prosodie. La dernière syllabe de *emperere* s'élide en effet devant la voyelle de *ad,* pour former un décasyllabe régulier. — *Prise :* accord du participe passé avec le complément d'objet direct *herberge,* dont il est l'attribut. — *Herberge :* voir au vers 7 de la laisse 181, page 53, le commentaire sur *herberger.*

Vers 3. — *Lur* vient de *illorum :* il garde encore sa valeur de pronom complément du nom (« d'eux ») et ne prend donc pas de *s.* — *Toleites* vient du verbe *toldre, toudre. Tollectum* a donné *toleit,* forme qui s'est substituée à *sublatum ;* le même phénomène s'est produit pour *casum* (de *cado*), auquel s'est substitué *cadeit, caeit, chaeit,* issu de *cadectum* (sur le modèle de *colleit,* venu de *collectum, beneoit,* venu de *benedictum*). L'accord (féminin pluriel) se fait en vertu de la même règle que celui de *prise* au premier vers de cette même laisse.

Vers 4. — *Jus des testes :* « en bas des têtes ». Sur l'étymologie de *jus,* voir le commentaire du vers 8 de la laisse 170, page 23.

Vers 6. — *Cunreid* sert à désigner les soins qu'on donne aux chevaux. Il faut partir du gallo-roman *conredare.* (A comparer avec le germanique *garedan,* dans lequel *ga* est équivalent de *cum.* et *reda* signifie « conseil », racine qu'on retrouve dans l'allemand moderne *Rat.*) Nous nous trouvons donc en présence d'un mot hybride ; il en est sorti *corroi, corroyer :* « action de préparer ».

Vers 8. — *Escalguaite* (français moderne « échauguette ») : « issue pour guetter ». En normand *au* devient *al.* A comparer avec le germanique *skar,* « troupe », et *wahta,* « action de guetter ».

183   vers 2496-2511

Texte.

Li emperere s'est culcet en un pret.
Sun grant espiet met a sun chef li ber.
Icele noit ne se volt il desarmer,
Si ad vestut sun blanc osberc sasfret,
5 Laciet sun elme, ki est a or gemmet,
Ceinte Joiuse, unches ne fut sa per,
Ki cascun jur muet XXX clartez.
Asez savum de la lance parler,
Dunt Nostre Sire fut en la cruiz nasfret :
10 Carles en ad la mure, mercit Deu;
En l'oret punt l'ad faite manuvrer.
Pur ceste honur e pur ceste bontet,
Li nums Joiuse l'espee fut dunet.

(suite de la laisse, page 58)

Traduction.

L'empereur s'est couché en un pré. Le preux a mis sa grande lance à son chevet. Il ne veut pas se désarmer cette nuit; il a revêtu son grand haubert safran, lacé son heaume, qui est orné de joyaux et d'or, et ceint Joyeuse, qui n'eut jamais sa pareille, qui chaque jour change trente fois de reflets. Nous savons beaucoup de choses sur la lance dont Notre-Seigneur fut percé sur la croix[1] : Charles, par la grâce de Dieu, en possède le fer; il l'a fait enchâsser dans le pommeau doré de son épée. On appela l'épée Joyeuse[2] à cause de cet honneur et de cette grâce.

---

1. Cette odyssée de la lance est liée à celle du Saint-Graal. L'origine se trouve vraisemblablement au monastère de Moyenmoutier (Vosges). La lance y aurait été apportée par Fortunat, patriarche de l'abbaye de Grado (Aquilée). En 894, des moines de Grande-Bretagne la transportèrent au couvent de Glastonbury. Alain, le « roi pêcheur », fit ensuite placer Graal et Lance dans le château de Corbenic, chez le roi Mordrain (Northumberland). Plus tard, Galaad transféra le tout en Orient. Ce thème de l'arme mystérieuse qu'on recherche et vénère remonte à la plus haute Antiquité (un poème égyptien, découvert en 1904 par M. Révillout, n'est-il pas bâti sur une quête de ce genre?); 2. Ces vers (2507 et suivants) ont été utilisés par Gaston Paris pour dater la composition de la *Chanson*. En juin 1108, un prêtre provençal, Barthélemy, prétendit avoir retrouvé à Antioche la pointe de la sainte lance. Et voici l'argumentation de G. Paris : si le trouvère avait été au courant de cette découverte, il ne se serait pas exprimé en ces termes. Or, la « découverte » de Barthélemy a vite été contestée. Celui-ci a eu ses partisans (les Toulousains et les Provençaux et, parmi eux, Raimond IV de Saint-Gilles, comte de Toulouse); ses adversaires aussi (les Normands, avec Bohémond et Tancrède). Précisément, notre trouvère, très vraisemblablement normand, ne perd pas l'occasion : « Nous connaissons très bien l'histoire », affirme-t-il, et c'est le sens des trois derniers vers de la laisse 183. Nous nous trouvons donc en face d'un passage de polémique religieuse.

Commentaire philologique et grammatical.

Vers 1. — *Culcet* est une forme normano-picarde pour *culchiet*, aboutissement phonétique de *collocatum*. — *Pret*, écrit parfois *pred* : « pré ». Ce mot vient directement du latin *pratum*.

Vers 2. — *Espiet* : ce mot sert d'ordinaire à désigner un pic formé d'une hampe en bois et d'un fer large et pointu. Souvent, dans *la Chanson de Roland*, le mot est synonyme de *hanste*, « lance ». Il est parfois écrit *espieit* et *espiel*. L'origine du mot est le francique *speut* (allemand *Spiess*, italien *spietto* : « broche »). Il existe d'autre part une forme *speltum* en bas latin : il a dû y avoir transcription de cet *l* par *w* : ce *w* est resté au nominatif. De toute manière, au Moyen Age est apparu le mot *espieu*, réfection de *espiet*, d'après *pieu*. — *Chef* vient du latin vulgaire *capu*, du classique *caput*.

Vers 4. — *Sasfret* : « de couleur jaune safran ». Le radical de cet adjectif est le même que celui de *safran*, nom venu de l'arabo-persan *za'faran*. Peut-être le *s* médian de *sasfret* représentait-il l'aspirée de *za'faran*, et il y aurait eu amuïssement du *s* comme dans *nasfret*, devenu *navré*. Peut-être y a-t-il eu influence d'un autre mot sémitique, l'arabe *zofre* influencé par *za'faran*.

Vers 5. — *Laciet* vient de *laqueare* (italien *lacciare*, ancien provençal *lassar*). — *Gemmet* : « orné de pierres précieuses ». Le verbe *gemmer* est dérivé du nom *gemme*, parfois écrit *jamme*, emprunté au latin *gemma*, qui signifie « bourgeon »; de cette idée, on est passé à celle de « suc de résine »; et, dans le Sud-Ouest, la comparaison s'est instituée entre gouttes de résine et pierres précieuses; d'où le sens de « pierre précieuse ». — *A or* : « avec de l'or ». *Ad* en latin signifiait « auprès de », avec changement de lieu : de là l'idée d'accompagnement, puis celle d'instrument. C'est ici le cas. Cf. « à cor et à cris ».

Vers 6. — En tête du vers, sous-entendre : « il a ... ».

Vers 7. — *Muet* : « change, fait miroiter » (vient de *mutat*).

Vers 8. — *Asez* signifie jusqu'au XVIe siècle « beaucoup ». Le mot vient de *ad* et *satis*.

Vers 10. — *Mure, more* : « pointe de l'épée, fer de lance ». Le mot est sorti de la langue au XIIe siècle. L'étymologie est obscure. On a cependant fait des rapprochements avec le portugais *morro*, « monticule », et avec le provençal *murre*, « groin ».

183 (suite)

Texte.

    Baruns franceis nel deivent ublier :
15 Enseigne en unt de « Munjoie! » crier;
    Pur ço nes poet nule gent cuntrester.

184   vers 2512-2524

    Clere est la noit e la lune luisant.
    Carles se gist, mais doel ad de Rollant
    E d'Oliver li peiset mult forment,
    Des XII pers e de la franceise gent
5 Qu'en Rencesvals ad laiset morz sanglenz.
    Ne poet muer n'en plurt e nes dement
    E priet Deu qu'as anmes seit guarent.
    Las est li reis, kar la peine est mult grant;
    Endormiz est, ne pout mais en avant.
10 Par tuz les prez or se dorment li Franc.
    N'i ad cheval ki puisset ester en estant :
    Ki herbe voelt, il la prent en gisant.
    Mult ad apris ki bien conuist ahan.

Traduction.

Les barons français ne doivent pas l'oublier; ils ont de ce nom tiré leur cri : Monjoie[1]! et c'est pourquoi nul peuple ne peut leur résister.

La nuit est claire et la lune brillante[2]. Charles est couché, mais il a grand deuil de la mort de Roland, et celle d'Olivier lui pèse durement, ainsi que celle des douze pairs et de tous les Français qu'à Roncevaux il a laissés sanglants et morts. Il ne peut s'empêcher de pleurer et de gémir, et il prie Dieu qu'il sauve leurs âmes. Le roi est las, car sa douleur est grande : il s'endort, n'en pouvant plus. Tous les Francs dorment parmi les prés. Aucun cheval ne peut se tenir debout, et qui veut brouter l'herbe la prend sans se lever. L'homme a beaucoup appris qui connut la douleur.

---

    1. Voir la note 1 de la laisse 92; **2.** Ce genre de notation sera repris plus loin (laisses 192 et 240).

Commentaire philologique et grammatical.

Laisse 183.

Vers 14. — *Nel* est formé de la négation *ne* et de *el* (« cela »). Le vers signifie : « ne doivent pas oublier ce qui suit ».

Vers 15. — *Enseigne* vient directement du latin *insignia*, pluriel neutre de l'adjectif *insignis*, pris pour un féminin. Le sens propre est « signe distinctif ». — *En* : « à la suite de cela ». — *De « Munjoie! » crier* : « consistant à crier « Monjoie! ».

Laisse 184.

Vers 2. — *Se gist* : le verbe *gesir (jacere)* est sorti de la langue au XVIᵉ siècle. *Se* est un réfléchi subjectif; cette tournure est plus fréquente et plus souple qu'en français moderne, où elle ne subsiste que dans quelques cas particuliers *(s'en aller)*. — *De* marque le point de départ, l'origine : « venant de Roland ».

Vers 3. — *Li peiset* : « cela lui pèse, il a du chagrin ». Le mot vient du latin *pensare* : on a eu *poise*, *peise* et *pese* comme à partir de *tensa* on a eu *toise*.

Vers 4. — *Franceise* au masculin *franceis*, adjectif dérivé de *france*, du bas latin *francia*. On a eu un adjectif *francensis*, qui en latin vulgaire a donné *francensa*, d'où *franceise*.

Vers 5. — *Sanglenz* vient du bas latin *sanguilentus*, construit sur le latin classique *sanguinolentus*.

Vers 6. — *N'en plurt* : « il ne peut s'empêcher d'en pleurer ». *Plurt* est un subjonctif (venant du latin *ploret*). — *Nes* vient de *non se* : « ... et de se lamenter ». *Dement* : subjonctif présent de *dementare*, verbe dérivé de *demens*, gén. *dementis*.

Vers 7. — *Guarent* : emprunté au participe présent germanique *werento* (de *weren*, « fournir une garantie »). Le *a* est dû à l'influence de *garer*, *garir*, issu de *warjan*.

Vers 11. — *En estant* : « dans la position de celui qui est debout ». *In* suivi du gérondif a la valeur d'un infinitif décliné.

QUESTIONS

SUR LA LAISSE 183. — Pourquoi l'empereur ne veut-il pas se désarmer? Quel intérêt pouvaient prendre les auditeurs de l'époque aux explications données concernant Joyeuse? Soulignez l'harmonie qui existe entre cette épée merveilleuse et le caractère sacré donné à la puissance de Charles.

SUR LA LAISSE 184. — Comment apparaît Charlemagne ici? Y a-t-il contradiction entre cet aspect et la majesté sacrée qu'on lui prête souvent? Pourquoi le poète a-t-il voulu présenter l'empereur semblable à tout ce qui l'entoure? Quel souci l'auteur trahit-il dans la dernière phrase? Est-ce chose courante dans la *Chanson*?

185

vers 2525-2554

Texte.

Karles se dort cum hume traveillet.
Seint Gabriel li ad Deus enveiet :
L'empereür li cumandet a guarder.
Li angles est tute noit a sun chef.
5 Par avisiun li ad anunciet
D'une bataille ki encuntre lui ert :
Senefiance l'en demustrat mult gref.
Carles guardat amunt envers le ciel,
Veit les tuneires e les venz e les giels
10 E les orez, les merveillus tempez,
E fous e flambes i est apareillez :
Isnelement sur tute sa gent chet.
Ardent cez hanstes de fraisne e de pumer
E cez escuz jesqu'as bucles d'or mier,
15 Fruissent cez hanstes de cez trenchanz espiez,
Cruissent osbercs e cez helmes d'acer;

(suite de la laisse, page 62)

Traduction.

Charles s'endort, comme un homme travaillé d'angoisse.
Dieu lui envoie saint Gabriel avec l'ordre de veiller sur
Charles. L'ange toute la nuit reste au chevet du roi.
En une vision[1] il lui a révélé une bataille qui va lui être
livrée. Du songe il lui a montré la cruelle signification. Charles
a levé les yeux vers le ciel, il y voit tonnerres, vents, gelées,
orages, tempêtes violentes, et flammes et feux, tout y est et
crève sur son armée. S'enflamment aussi les lances de frêne
et de pommier et jusqu'aux boucles d'or pur des écus; les
hampes des épieux tranchants se brisent; les hauberts et les
heaumes d'acier se fracassent.

---

1. Sur la double vision, voir la note 1 de la laisse 57. Cette deuxième vision
est un peu une digression, en tout cas une redite, au point qu'on a cru discerner
là une preuve du caractère composite de l'œuvre : avec cette deuxième division,
a-t-on dit, commence un poème distinct; un auteur différent prend la plume.
Mais les redites sont inhérentes à un genre littéraire très particulier et dont les
lois de composition surprennent un lecteur moderne.

Commentaire philologique et grammatical.

Vers 1. — *Traveillet* (écrit souvent *travaillie*) : « épuisé », « rongé de soucis »; adjectif qui a vécu du Xᵉ au XVIᵉ siècle. Jusqu'au XVIᵉ siècle, le verbe *travailler* a signifié « tourmenter » et aussi « peiner, souffrir ».

Vers 3. — *Cumandet :* « confie ». « Il lui confie l'Empereur pour le garder. »

Vers 4. — *Chef :* de ce mot il est resté le diminutif *chevet*.

Vers 5. — *Par avisiun :* « par une vision ».

Vers 6. — *Ert : erit*, atone, donne bien *ert*; tonique il donne *iert*. Aucune correction ne s'impose.

Vers 7. — *Senefiance :* « signe, marque » (du latin *significationem*). « Il lui en montra des signes tout à fait funestes. » — *Gref :* de *grevem*, pour *gravem* (influence analogique de *levem*).

Vers 8. — *Guardat :* « regarda ». — *Amunt* « en haut », encore vivant en provençal.

Vers 9. — *Tuneires : tonitrum* a donné *toneire* et *tonoire* puis *tonnerre*, comme *vitrum* a donné *veirre, voirre* et *verre*.

Vers 10. — *Orez : ore* (du latin *aura*) signifie « souffle, vent »; *oret* est un diminutif de *ore* (provençal *auret*). Sur la même racine on a eu *auraticum : orage*. — *Tempez :* à côté de *tempestas, tempestatis, tempestatem* on a eu le latin vulgaire *tempesta, ae*, d'où l'on a tiré *tempester, tempeter;* de ce *tempester*, on a tiré un substantif déverbal le *tempest*, qui au nominatif donne : *sts, z*, d'où *tempest* (loi des trois consonnes).

Vers 11. — *Flambes* vient de *flammulas*, avec dissimilation consonantique, d'où « flambée ». — *Apareillez* vient du latin vulgaire *appariculare*.

Vers 13. — *Ardent : ardere*, avec le premier *e* long, a donné *ardoir; ardere*, accentué sur la première, a donné *ardre. Ardent* est le participe présent du verbe *ardoir*. — *Cez :* ici deux démonstratifs qui très souvent en ancien français remplacent l'article « les ». Mais ils ne sont pas des équivalents exacts : ils introduisent chaque fois une nuance pittoresque « qu'il est naturel de trouver », « vous voyez d'ici les lances... ». A comparer avec le début du *Charroi de Nîmes* (VIIIᵉ siècle) : « Ces oiseaux... ». Il s'agit de véritables articles descriptifs.

Vers 14. — *Jesqu'* : on attend *iusqu'*. Il y a eu une influence de *deorsum* (devenu *deursum* par analogie avec *sursum*) donnant *jus, jos;* et aussi de *de ci que, tresque, desque*. — *Bucles :* le latin *buccula*, diminutif de *bucca*, « bouche », a donné successivement *buccule* et *boucle* (cf. *os* et *osculum*). Ce mot sert à désigner la partie renflée de l'*escuz* (« bouclier »). Ce n'est qu'au XVIᵉ siècle que le mot signifie « boucle » d'une courroie par exemple.

Vers 15. — *Fruissent*, de *frustiare*, verbe refait en latin vulgaire sur *frustum* (« morceau ») : « tomber en morceaux, éclater ».

Vers 16. — *Cruissent*, du verbe *croissir*, « se briser » (germanique *krostian*, anglais *to crush*).

185 (suite)

Texte.

En grant dulor i veit ses chevalers.
Urs e leuparz les voelent puis manger,
Serpenz e guivres, dragun e averser;
20 Grifuns i ad, plus de trente millers :
N'en i ad cel a Franceis ne s'agiet.
E Franceis crient : « Carlemagne, aidez! »
Li reis en ad e dulur e pitet;
Aler i volt, mais il ad desturber;
25 Devers un gualt uns granz leons li vient,
Mult par ert pesmes e orguillus e fiers,
Sun cors meïsmes i asalt e requert
E prenent sei a braz ambesdous por loiter;
Mais ço ne set liquels abat ne quels chiet.
30 Li emperere n'est mie esveillet.

Traduction.

Il voit ses chevaliers en grande détresse[1]. Ensuite, des ours et
des léopards veulent les dévorer, des serpents et des guivres[2],
des dragons et des démons; il y a aussi des griffons, plus de
trente mille : le tout se rue sur les Français. Les Français
crient : « Charlemagne, à l'aide! » Le roi en éprouve et douleur et pitié. Il y veut aller, mais en est empêché : devers une
forêt vient contre lui un grand lion; il est affreux, orgueilleux
et farouche, il s'en prend à sa personne même et l'attaque.
Tous deux pour lutter se prennent corps à corps; mais
Charles ne sait lequel triomphe ni lequel succombe. L'empereur ne s'est pas éveillé.

---

1. Ce vers et les sept précédents sont à rapprocher d'un passage de *la
Pharsale*; Lucain y représente les soldats de Pompée saisis à la vue d'un prodige
analogue (livre VII, vers 153-160) : « L'éther tout entier fait obstacle à leur progression : il leur oppose des brandons, des colonnes immenses de feu, de typhons
qui soulèvent un mélange d'eau et de bois; il obstrue leur vue, aveuglée par la
foudre; il arrache les aigrettes des casques, inonde la garde des épées de leurs
lames fondues, liquéfie les javelots arrachés de leurs mains et fait fumer le fer
coupable sous l'action du soufre. » Il y a là une réminiscence érudite; 2. *Guivre*
(ou *givre*) : serpent monstrueux.

━━━ QUESTIONS ━━━

SUR LA LAISSE 185. — Le merveilleux : montrez-en les deux aspects
(protection immédiate; avertissements concernant l'avenir). Expliquez
cette vision en vous aidant des laisses 187 à 202 et 214 à 262. Pourquoi
l'issue du combat n'est-elle pas dévoilée? Expliquez pourquoi Charles
ne doit pas s'éveiller?

Commentaire philologique et grammatical.

Vers 17. — *I* : « en cette circonstance ». Le mot vient de *ibi*, avec deux *i* longs (alors qu'en latin classique il avait le premier *i* bref et le second long); l'allongement de la voyelle peut s'expliquer par l'influence de *hie*, dont l'*i* est long.

Vers 18. — *Leuparz* vient phonétiquement de *leopardus*, sur lequel on a refait plus tard *léopard*. Le mot, formé de deux éléments d'origine grecque (*leo*, « le lion », et *pardos*, « panthère mâle »), désignait au Moyen Age toute espèce d'animal fabuleux. — *Puis* vient de *postius*, comparatif de *postea*, qui avait été formé en latin vulgaire.

Vers 19. — *Guivres :* mot vivant du XIᵉ au XVᵉ siècle et qui sert à désigner une sorte de dragon. Du latin *vipera :* le changement de *v* en *gu* est une influence du germanique *wipera*; issu lui-même du latin. — *Averser : adversarium* donne en francien *aversier*, et en anglo-normand *averser*.

Vers 20. — *Grifuns :* le mot sert à désigner un « animal fabuleux ». Il apparaît ici pour la première fois. Il est dérivé de *grif*, lequel vient phonétiquement de *gryphus* (latin ecclésiastique, attesté au IVᵉ siècle). *Gryphus* a été tiré du latin classique *grypus*, transcription du grec *gryps*, *grypos*. Au XIIᵉ siècle, on rencontre encore la forme *grip*.

Vers 21. — « Il n'en est pas qui ne se mesure aux Français. »

Vers 24. — *Desturber* vient du latin *disturbare ;* avec le suffixe *erium*, on obtient *destorbier*, et *destorber* en anglo-normand.

Vers 25. — *Gualt*, écrit parfois *gald :* « bois » (allemand *Wald*, « bois », anglais *wood*, « bois »).

Vers 28. — *Loiter*, écrit parfois *loitier*, vient du latin *luctare* et signifie « lutter ».

186   vers 2555-2569

A cette vision succède une autre : il était en France, à Aix, sur un perron : il tenait un ours[1] enchaîné par deux laisses. Devers l'Ardenne, il voyait venir trente ours. Chacun parlait comme un homme. Ils disaient : « Sire, rendez-le-nous! Il n'est pas juste que vous le reteniez. Il est notre parent. Nous lui devons assistance. » De son palais accourt un lévrier. Il assaille le plus grand des ours, sur l'herbe verte. Là le roi contemple un merveilleux combat; mais il ne sait qui est vainqueur ni qui est vaincu. Voilà ce que l'ange de Dieu a montré au baron. Charles dort jusqu'au lendemain, au clair matin.

INTERVENTION DE L'ÉMIR BALIGANT

187   vers 2570-2591

Le roi Marsile s'est enfui à Saragosse. Il a mis pied à terre sous un olivier, à l'ombre. Il dépose épée, heaume et brogne. Sur l'herbe verte, misérablement, il se couche. Il a perdu la main droite, tranchée net[2]. Il perd son sang; il se pâme,

---

1. Intervention d'animaux symboliques : c'est un lieu commun de la littérature médiévale. Le pseudo-Frédégaire par exemple, au VIIIe siècle, avait raconté (III, 12) que, lors de sa nuit de noces, le roi Childéric avait aperçu successivement d'abord un lion, une licorne et un léopard, puis un ours et des loups, puis un chien et des bêtes de petite taille : l'ensemble figurait sa descendance! De toute manière, il y a une analogie évidente avec les allégories du Livre de Daniel. C'est d'ailleurs dans ce même Livre de Daniel qu'on voit Gabriel jouer un rôle de premier plan. Il y interprète, en effet, à l'usage de Daniel, les songes de ce dernier : il explique la signification de l'apparition du bouc, de celle du bélier, révèle la fin de la Captivité et la venue du Messie; 2. Voir la laisse 142.

— QUESTIONS —

Sur la laisse 186. — Interprétez cette seconde vision en vous aidant des laisses 270 à 289. Soulignez la symétrie de cette vision avec la précédente. Comparez les laisses 185-186 aux laisses 56 et 57. Montrez l'analogie symbolique que présente dans chaque cas la seconde vision. En utilisant cet exemple, vous démontrerez la rigueur de composition de la *Chanson*.

● Sur l'ensemble des laisses 177 a 186. — Le personnage de Charles : montrez que la douleur et le sens du devoir à accomplir nuancent sa psychologie. Faites ou complétez son portrait en utilisant les données fournies par ce passage.

— Le merveilleux dans ce groupe de laisses : ses formes, son sens pour le poète et pour son auditoire; comment s'intègre-t-il dans le mouvement dramatique? Montrez que l'on s'attend à de nouveaux développements de l'action.

plein d'angoisse. Devant lui sa femme Bramimonde pleure, crie, se lamente bruyamment. En même temps qu'elle, plus de vingt mille hommes maudissent Charles et douce France. Vers Apollon[1] ils accourent, en une grotte. Ils s'en prennent à lui, honteusement le querellent : « Ah! Mauvais dieu, pourquoi nous envoies-tu un tel affront? Pourquoi as-tu permis l'effondrement de notre roi? Qui bien te sert mauvais prix en retire. » Alors ils lui enlèvent son sceptre et sa couronne, par les mains le suspendent à une colonne, puis le foulent à terre, à grands coups de bâton le frappent et le brisent; à Tervagant ils arrachent son escarboucle[2]. Ils jettent Mahomet[3] en un fossé. Porcs et chiens le mordent et le foulent.

188

vers 2592-2608

Marsile est revenu de pâmoison. Il se fait porter en sa chambre voûtée. Sur les murs, il y a des peintures et des signes de plusieurs couleurs. La reine Bramimonde pleure sur lui, s'arrache les cheveux, clame son malheur. Puis, à haute voix, elle s'écrie : « Ah! Saragosse, comme tu perds aujourd'hui avec le noble roi qui t'avait en baillie[4]! Nos dieux sont bien félons qui, ce matin, l'ont abandonné dans le combat. L'émir sera bien lâche s'il ne lutte maintenant contre cette gent hardie : ils sont si fiers qu'ils n'ont cure de

---

1. Sur la religion attribuée aux Sarrasins, voir la note de la laisse 1; 2. *Escarboucle* : ancien nom du rubis, considéré comme une pierre aux pouvoirs magiques; 3. Le poète imagine qu'il existe des statues de Mahomet, comme il y a des statues de saints et de prophètes dans les églises; 4. *Avoir en sa baillie :* tenir sous son autorité; terme de droit féodal.

QUESTIONS

SUR LA LAISSE 187. — Comment le poète nous peint-il l'abattement de Marsile? Cherchez dans le passage les traces du mépris du poète pour le Sarrasin. Les lamentations de Bramimonde ne constituent-elles pas un trait de couleur locale? Soulignez la logique de la réaction des Sarrasins contre leurs dieux. De quelle sorte est leur foi, ainsi présentée?

SUR LA LAISSE 188. — Montrez que les paroles de Bramimonde préparent l'épisode de Baligant (laisses 214-263). Comparez les derniers mots de la reine avec la prophétie de Ganelon (laisses 29 et 43). En quoi ces remarques révèlent-elles une organisation rigoureuse des éléments de la *Chanson*? Comment se prolonge et s'élargit la grande lutte entre chrétiens et Sarrasins?

leur vie! L'empereur à la barbe fleurie est vaillant et tout
animé de témérité. S'il y a bataille, il ne fuira pas. C'est
grand malheur que personne ne le tue! »

189

vers 2609-2629

L'empereur, grâce à sa puissante force, s'est maintenu
sept ans tout pleins en Espagne. Il y prend châteaux et nombreuses cités. Le roi Marsile s'évertue à tenir. La première
année il a fait sceller ses brefs : il s'est adressé à Babylone[1]
à l'émir Baligant, chargé d'années. Il a vécu plus que Virgile et Homère. Qu'il vienne, le vaillant, au secours de Marsile à Saragosse[2]. Faute de quoi, lui, Marsile, reniera ses dieux
et toutes les idoles qu'il adorait et recevra la loi sainte des
chrétiens. Il s'entendra avec Charlemagne. L'émir est loin,
il a longuement tardé. Il appelle son peuple de quarante
royaumes. Il a fait apprêter ses grands dromons, des vaisseaux et des barges, des galées[3] et des nefs. Sous Alexandrie,

---

1. Dans les textes médiévaux, Babylone sert à désigner tantôt Bagdad, tantôt
Le Caire. G. Paris songe à Bagdad. Mais la mention d'Alexandrie, qui vient quelques
vers plus loin, n'incline-t-elle pas à lire Le Caire? Dans le même ordre d'idées, il
est évident que, pour notre auteur, Virgile et Homère ne sont que des noms;
2. L'épisode de Baligant fait incontestablement longueur : il a l'inconvénient de
nous reporter aux premiers jours de l'arrivée de Charlemagne en Espagne. Natu-
rellement, ton et allure rappellent le début du poème. Faut-il donc y voir le commencement d'une chanson nouvelle? Clédat (*la Chanson de Roland*, p. 97) le croit.
L. Gautier (*Epopées françaises*, I, p. 425) et M. Meyer (*Romania*, VI, p. 473; VII,
p. 437) ne le croient pas. Peut-être s'agit-il tout simplement d'un épisode destiné
à être chanté à part. Il n'est pas concevable en effet qu'un jongleur ait jamais chanté
en une seule soirée l'ensemble de la *Chanson*. Nous nous trouverons donc tout
simplement devant une « suite », un « épisode », se détachant sans difficulté et
sujet tout trouvé d'une audition, d'une « séance ». La « reprise » met l'auditoire
au courant; 3. *Galée* : ancien nom de la galère, vaisseau long et de bas bord, allant
à la rame et à la voile.

QUESTIONS

SUR LA LAISSE 189. — En faisant une comparaison avec les laisses 1
et 55 et en utilisant la note placée à la fin de cette laisse, montrez que
si ces vers ne constituent pas le début d'une autre *Chanson*, ils marquent
un épisode nouveau. Soulignez l'élargissement et le grandissement du
sujet : quels vont être les protagonistes cette fois? Montrez qu'il y a
ici un renforcement du sens symbolique de l'œuvre (opposition de deux
religions) et que les personnages héroïques ont moins d'importance.
Comparez l'âge de Baligant à celui de Charlemagne : le rapprochement
est-il fortuit? Quelle signification prend la dernière phrase?

il y a un port près de la mer. C'est là qu'il assemble sa flotte entière. C'est en mai, le premier jour de l'été. Il a lancé sur mer toutes ses armées.

190
vers 2630-2638

Grandes sont les armées de ce peuple ennemi. De toutes leurs forces, les païens cinglent cap sur l'ennemi, à la voile, à la rame.

A la pointe des mâts, en haut des vergues, brillent, nombreuses, escarboucles[1] et lanternes. D'en haut, elles projettent une telle clarté que, par la nuit, la mer en est plus belle. Et, comme ils approchent de la terre d'Espagne, toute la campagne brille et s'éclaire. La nouvelle en parvient jusqu'à Marsile.

191
vers 2639-2645

La gent païenne n'a cure de faire relâche. Ils quittent la mer, pénètrent dans les eaux douces, passent Marbrise et laissent Marbrose[2], remontent les méandres de l'Ebre[3]. Lanternes et escarboucles brillent nombreuses, et toute la nuit les éclairent. Au jour, ils arrivent à Saragosse.

---

1. *Escarboucle* : voir la note 2 de la page 65; 2. *Marbrise* et *Marbrose* sont des noms de lieux probablement imaginaires; 3. L'*Ebre* est en effet la voie fluviale qui mènera les Sarrasins de la côte orientale de l'Espagne jusqu'à Saragosse.

——— QUESTIONS ———

SUR LA LAISSE 190. — Montrez le réalisme de cette peinture; son pittoresque, son caractère poétique. Le poète atteint-il fréquemment à cette plénitude dans la *Chanson?* Doit-on en déduire pour autant qu'il se souvient ici d'un spectacle précis auquel il a assisté?

SUR LA LAISSE 191. — Partis en mai (voir laisse 189), les païens peuvent-ils vraisemblablement arriver à Saragosse le lendemain de la bataille (voir laisse 194), qui a eu lieu, selon la chronique, le 15 août? Cette exagération ne reflète-t-elle pas une intention chez le poète? — Pourquoi l'auteur reprend-il un élément descriptif qui se trouvait déjà développé dans la laisse précédente?

192   vers 2646-2664

Clair est le jour et le soleil brillant. L'émir est sorti de son
vaisseau. A sa droite s'avance Espanelis. Dix-sept rois
marchent à sa suite; puis viennent, innombrables, des comtes
et des ducs. Sous un laurier, au milieu d'un champ, sur
l'herbe verte, on jette un tapis blanc; on y installe un trône
d'ivoire. Là prend place le païen Baligant; tous les autres
sont restés debout. Lui, leur seigneur, parle le premier :
« Oyez, dit-il, francs chevaliers vaillants! Le roi Charles,
empereur des Francs, ne doit manger si je n'y consens. Par
toute l'Espagne, il m'a fait très grande guerre; en douce
France je veux l'aller quérir. De toute ma vie je n'aurai relâche
qu'il ne soit mort ou ne s'avoue vaincu. » En foi de quoi de
son gant droit il frappe son genou[1].

193   vers 2665-2685

Puisqu'il l'a dit, il se promet bien de ne jamais renoncer
pour tout l'or du ciel à aller à Aix, où Charles tient ses plaids.
Ses hommes l'en louent et l'encouragent. Alors il appela
deux de ses chevaliers, Clarifan et Clarien : « Vous êtes fils
du roi Maltraien, qui faisait volontiers le messager. Je vous
ordonne d'aller à Saragosse. En mon nom, prévenez Marsile
que je suis venu l'aider contre les Français : si je trouve
l'occasion, il y aura grande bataille. En gage, donnez-lui
tout plié ce gant orné d'or, qu'il en pare son poing droit;
remettez-lui aussi ce bâtonnet d'or pur[2]. Dites-lui de me
venir rendre hommage. J'irai en France faire la guerre à
Charles. S'il n'implore mon pardon couché à mes pieds et
à moins qu'il ne renie la loi des chrétiens, je lui enlèverai de
la tête la couronne. » Les païens répondent : « Sire, vous
avez bien parlé! »

---

1. Le gant symbolise la garantie que le seigneur ou le chevalier donne de ses
intentions et de sa volonté. Ici, il est la garantie du serment prononcé. Voir également, à ce sujet, la laisse suivante; 2. Voir laisse 17. Le gant (la main) et le
bâton (le sceptre) symbolisent l'investiture. De même, au moment de mourir,
Roland offre à Dieu son gant droit : il fait l'hommage de lui-même.

194
vers 2686-2704

Baligant dit : « Allons, à cheval, barons! Que l'un porte le gant, l'autre le bâton[1]! » Ils répondent : « Cher seigneur, nous le ferons. » Ils ont tant chevauché que les voici à Saragosse. Ils passent dix portes, traversent quatre ponts et toutes les rues où logent les bourgeois. Comme ils approchent, au haut de la cité, ils entendirent une grande rumeur venant du palais. Là s'est assemblée une foule de l'engeance païenne. Ils pleurent, crient, manifestent une grande douleur. Ils regrettent leurs dieux, Tervagant et Mahomet et Apollon, qu'ils n'ont plus. Les uns aux autres ils se disent : « Malheureux, qu'allons-nous devenir? Sur nous s'est abattue une terrible calamité. Nous avons perdu le roi Marsile. Hier, le comte Roland lui a tranché le poing droit. Jurfaleu[1] le blond, nous ne l'avons plus. L'Espagne entière est aujourd'hui à la merci des Francs. » Au perron, les deux messagers mettent pied à terre.

195
vers 2705-2723

Ils laissent leurs chevaux sous un olivier : deux Sarrasins les ont saisis par les rênes. Les messagers se tiennent par leurs manteaux, puis montent ensemble au plus haut du palais. En entrant dans la chambre voûtée, par amitié ils firent un salut malheureux : « Que Mahomet qui vous a en sa garde

---

1. *Jurfaleu :* fils de Marsile, tué dans la bataille (laisse 142).

QUESTIONS

Sur les laisses 192-193. — Caractérisez l'arrivée de l'émir. Comparez ce dernier au milieu de sa cour avec Charlemagne. Les paroles de Baligant : montrez ce qu'elles ont de hautain; pourquoi la démesure de ses dires n'est-elle pas ridicule? Rapprochez des laisses 77 et 78. Pourquoi le poète exaspère-t-il l'orgueil national de son auditoire? — Recherchez des traits d'exotisme dans ces deux laisses (couleur, richesse, matières). Citez des exemples de traits de mœurs de chevalerie transposés à la cour de Baligant. Ce mélange choque-t-il cependant?

Sur la laisse 194. — Montrez la justesse réaliste de cette évocation d'une ville forte médiévale. — Jugez l'attitude des païens à l'égard de leurs dieux. Montrez-en le caractère, psychologiquement vraisemblable. En quoi est-ce également, de la part du poète, une reprise habile des événements antérieurs?

et Tervagant et Apollon notre seigneur sauvent le roi et protègent la reine! » Bramimonde dit : « Quelles folles paroles j'entends! Ces dieux dont vous dites les noms nous abandonnent. A Roncevaux, funestes ont été leurs miracles : là, ils ont laissé tuer nos chevaliers. Mon maître et seigneur, ils l'ont abandonné dans la bataille; il a perdu le poing droit, le comte Roland le lui a tranché, lui si puissant. L'Espagne entière, Charles l'aura à sa merci. Que deviendrai-je douloureuse, infortunée? Malheureuse que je suis! N'y aura-t-il personne pour me tuer? »

196

vers 2724-2740

Clarien dit : « Dame, ne parlez pas tant! Nous sommes messagers du païen Baligant. Il affirme qu'il va protéger Marsile. Comme gage il lui envoie son bâton et son gant. Sur l'Ebre nous avons quatre mille chalands, des vaisseaux, des barges et de rapides galées[1]. Quant aux dromons, je n'en puis faire le compte. L'émir est fort et puissant : en France il va aller chercher Charlemagne; il espère le tuer ou le rendre à merci. » Bramimonde dit : « Il s'en ira en France pour son malheur! Plus près d'ici vous pourrez trouver les Francs : voilà sept ans que l'empereur est dans ce pays. L'empereur est noble et hardi : il mourrait plutôt qu'abandonner un champ de bataille; sous le ciel il n'y a de roi qu'il ne considère comme un enfant. Charles ne craint homme qui vive. »

---

1. *Galée* : voir la note 3 de la page 66.

--- QUESTIONS ---

Sur la laisse 195. — Appréciez la façon dont le poète prend part à son récit en jugeant le salut des messagers. — L'ironie dans la réponse de Bramimonde : ses marques; l'amertume du ton. — Dans ce poème, où les femmes ont si peu de place, l'apparition de Bramimonde révèle-t-elle de la part de l'auteur une certaine connaissance de la psychologie féminine? Comparez Bramimonde à la belle Aude (laisses 268-269).

Sur la laisse 196. — Expliquez et jugez l'expression *messagers du* « païen » *Baligant*. — Soulignez le contraste violent entre la confiance de Clarien et la réponse de la reine; en quoi cette dernière montre-t-elle le manque de réalisme des espoirs de conquête en France? — L'éloge de la puissance de Charlemagne n'est-il pas plus le fait du poète que celui de Bramimonde? En quoi cependant cet éloge est-il rendu possible ici?

197   vers 2741-2754

« Laissez cela ! », dit le roi Marsile. Il apostrophe les messagers : « Seigneurs, adressez-vous à moi ! Vous me voyez frappé à mort. Je n'ai fils ni fille, ni héritier. J'en avais un : il fut tué hier soir. Dites à mon seigneur qu'il me vienne voir. L'émir a droit sur la terre d'Espagne ; je la lui remets en franchise, s'il la veut. Mais ensuite qu'il la défende contre les Français ! En ce qui concerne Charlemagne, je lui donnerai un bon conseil : avant un mois, il le tiendra prisonnier. Vous lui porterez les clefs de Saragosse. Puis dites-lui qu'il ne s'en aille pas, s'il me croit. » Ils répondent : « Seigneur, vous dites bien. »

198   vers 2755-2764

Marsile dit : « Charles l'empereur m'a tué mes hommes, il a ravagé ma terre. Il a forcé et abattu mes cités. Cette nuit, il l'a passée sur le bord de l'Ebre : ce n'est qu'à sept lieues d'ici, j'ai compté. Dites à l'émir d'amener là son armée. En mon nom demandez-lui de livrer bataille en ce lieu. » Il leur a remis les clefs de Saragosse. Les messagers se sont tous deux inclinés ; ils prennent congé. Sur ces mots, ils le quittent.

199   vers 2765-2789

Les deux messagers sont montés à cheval. Rapidement, ils sortent de la cité ; bouleversés, ils vont trouver l'émir. De Saragosse ils lui remettent les clefs. Baligant dit : « Qu'avez-vous trouvé ? Où est Marsile, que j'avais mandé ? » Clarien répond : « Il est blessé à mort. Hier, l'empereur était au passage des ports, il voulait retourner en douce France. Il avait constitué une arrière-garde tout à fait digne de lui : le comte Roland y était resté, son neveu, et Olivier, et tous les douze pairs, et vingt mille Français, tous chevaliers. Le roi Marsile leur livra bataille, le vaillant. Roland et lui s'affrontèrent : de Durendal celui-là lui donna un tel coup

──────── QUESTIONS ────────

Sur les laisses 197-198. — La douleur de Marsile : comment s'exprime-t-elle ? En quoi est-elle émouvante ? Comment pouvait réagir ici l'auditoire du poète ? — Marsile offre les clés de Saragosse à l'émir après les avoir fait porter à Charlemagne (voir laisses 52 et 54) ; faut-il voir ici une inadvertance du poète ? ou au contraire une intention délibérée ? En ce dernier cas, qu'en conclure sur le caractère de Marsile ?

qu'il lui trancha le poing droit. Il a tué son fils qu'il aimait tant et les barons qu'il avait amenés. Marsile est revenu : il avait fui, n'y pouvant tenir; l'empereur l'a vivement poursuivi. Le roi vous demande de le secourir. Il vous remet en franchise le royaume d'Espagne. » Baligant alors se met à songer. Sa douleur est telle qu'il est presque fou.

200 vers 2790-2809

« Seigneur émir, dit Clarien, à Roncevaux hier il y a eu bataille. Roland est mort et le comte Olivier et les douze pairs que Charles aimait tant; de leurs Français, vingt mille sont morts. Le roi Marsile a perdu le poing droit dans l'affaire. L'empereur l'a vivement poursuivi. En cette terre pas un chevalier qui n'ait été tué ou noyé dans l'Ebre. Les Français campent sur la rive. Ils sont si proches de nous en ce pays que, si vous voulez, la retraite leur sera dure. » Du coup, le regard de Baligant redevient farouche. En son cœur il y a joie et liesse. Il quitte son trône et se dresse; puis il s'écrie : « Barons, ne vous attardez pas! Sortez des nefs! En selle! Chevauchez! Si maintenant Charlemagne le vieil empereur ne s'enfuit pas, le roi Marsile sera bientôt vengé. Pour son poing droit je lui livrerai la tête de l'empereur! »

201 vers 2810-2826

Les païens d'Arabie sont sortis des nefs. Puis ils sont montés sur les chevaux et les mulets. Puis ils se mirent en route : qu'eussent-ils pu faire d'autre? L'émir, qui les a tous mis en branle, appelle aussi Gemalfin, un de ses préférés : « Je te

———— QUESTIONS ————

Sur la laisse 199. — Comparez le récit des messagers à ce qu'ils ont effectivement appris d'après les laisses 195 à 198 : notez les détails qu'ils ne pouvaient connaître. A quoi peut-on remarquer une certaine satisfaction du poète à rappeler des événements humiliants pour les païens? Quel sentiment y a poussé l'auteur? Imaginez les réflexions de Baligant à ce sujet.

Sur la laisse 200. — Soulignez la mobilité d'âme de Baligant; justifiez-la. Comment l'auteur parvient-il à rendre l'enthousiasme de l'émir? Celui-ci se rend-il compte exactement des difficultés de l'entreprise? Montrez que son désir de vengeance le grise. Expliquez la signification de l'équivalence donnée dans la dernière phrase; essayez de rendre compte de l'importance matérielle et symbolique de la perte qu'a faite Marsile.

confie toute mon armée. » Il monte alors sur son cheval bai[1]. Avec lui il emmène quatre ducs. Il a tant chevauché que le voilà à Saragosse. A un perron de marbre, il a mis pied à terre; quatre comtes lui ont tenu l'étrier. Suivant les degrés, il monte au palais. Alors Bramimonde accourt à sa rencontre; elle lui dit : « Je suis affligée. Ma destinée est bien malheureuse. Sire, j'ai perdu mon seigneur, et dans des circonstances si honteuses! » Elle tombe à ses pieds; l'émir l'a relevée. Tous deux, affligés, sont montés en la salle.

202
vers 2827-2844

Le roi Marsile, quand il voit Baligant, appelle deux Sarrasins d'Espagne. « Prenez-moi dans vos bras, et me tenez bien droit! » De son poing gauche il a pris un de ses gants, Marsile dit : « Seigneur roi, émir, toute la terre où nous sommes, et Saragosse, et le fief qui en dépend, je vous les remets. Je me suis perdu, et dans ma perte j'ai entraîné tout mon peuple. » L'émir répond : « J'en éprouve grande douleur. Je ne puis parler longtemps avec vous : je suis sûr que Charles ne m'attend pas. Je n'en reçois pas moins votre gant. » Il souffre, et il s'en va en pleurant. Il descend les degrés du palais, monte à cheval, éperonne et rejoint les siens. Il a si bien chevauché qu'il a dépassé tous les autres. De temps à autre, il s'écrie : « Venez, païens : déjà ils pressent leur retraite! »

---

1. *Bai* : de couleur brune, avec la crinière et les extrémités noires.

━━━ QUESTIONS ━━━━━━━━━━━━━━━━━━━━━━━

Sur la laisse 201. — Le pathétique dans cette laisse. Comment est rappelée la majesté de l'émir? Soulignez le contraste avec l'humilité suppliante de Bramimonde.

Sur la laisse 202. — Analysez le mélange d'humilité, de fierté et de solennité dans l'attitude de Marsile. Quel est l'effet produit sur Baligant? Quel état d'esprit trahit la dernière phrase de celui-ci?

● Sur l'ensemble des laisses 187 a 202. — La peinture des païens : appréciez leur attitude au point de vue religieux telle qu'elle est dépeinte ici. Recherchez les traits de couleur locale ou d'exotisme; caractérisez-les et indiquez-en l'importance relative.

— Commentez les suites de la lutte contre les chrétiens : pourquoi le sentiment d'une défaite l'emporte-t-il sur la satisfaction d'avoir écrasé l'arrière-garde de Charles? Par quels sentiments successifs passent les païens? Pourquoi n'éprouvons-nous pas leur confiance (laisse 202)?

— Montrez en quoi, progressivement, le caractère de *la Chanson de Roland* : jusqu'alors, quel était le sujet? Qui était au centre du récit? Quel thème nouveau, plus large et plus élevé, apparaît maintenant? Y a-t-il pourtant solution de continuité?

LE PÈLERINAGE DE CHARLES A RONCEVAUX

203

vers 2845-2854

Au matin, à la première pointe de l'aube, l'empereur Charles s'est éveillé. Saint Gabriel, qui le garde par l'ordre de Dieu, lève la main et fait sur lui le signe de la croix. Le roi se lève, quitte ses armes, et tous les guerriers se désarment aussi. Puis ils montent à cheval et chevauchent à vive allure, par les longues routes et les larges chemins; ils s'en vont voir le prodigieux désastre, ils vont à Roncevaux, où fut la bataille.

204

vers 2855-2869

Charles est parvenu à Roncevaux : il commence à pleurer sur les morts qu'il trouve. Il dit aux Français : « Seigneurs, allez au pas, car il me faut aller moi-même en avant, à cause de mon neveu, que je voudrais trouver. Un jour, j'étais à Aix, à une fête solennelle : mes vaillants chevaliers se vantaient de grandes batailles, de rudes charges qu'ils livreraient[1]. Et voici ce que j'entendis dire à Roland : « Si je « meurs jamais en pays étranger, ce sera bien en avant de « mes pairs et de mes hommes, ma tête sera tournée vers « l'ennemi, et, comme un vrai baron, je finirai en conqué- « rant! » Charles, précédant les autres de la distance d'un jet de bâton, est monté sur un tertre.

---

1. Trait de mœurs médiévales : réunis les jours de fête, les jeunes nobles imaginaient les exploits qu'ils se proposaient d'accomplir un jour; il est possible que Roland ait participé à des joutes oratoires de ce genre.

--- **QUESTIONS** ---

SUR LA LAISSE 203. — A quel moment précis nous trouvons-nous ramenés ici (voir laisse 186)? Montrez que l'action va reprendre du côté des chrétiens. L'épisode précédent est-il pour autant une pure digression? — Pourquoi Charles et ses hommes se désarment-ils? Le péril sarrasin est-il écarté? — Montrez la gravité émue de la dernière phrase.

205

vers 2870-2880

L'empereur, en cherchant son neveu, voit les herbes et les fleurs des prés toutes vermeilles du sang de nos barons; il en est ému, il ne peut s'empêcher de pleurer. Il est arrivé au haut du tertre, sous deux arbres; il reconnaît les coups de Roland marqués sur les trois rochers, il voit son neveu gisant sur l'herbe verte. Il n'est pas étonnant que Charles ait grande douleur! Il met pied à terre, il approche en courant, il prend le comte entre ses bras, et défaille sur lui, tant son angoisse l'étreint!

206

vers 2881-2891

L'empereur revient de pâmoison. Le duc Naimes[1] et le comte Acelin[2], Geoffroy d'Anjou[3] et son frère Henri prennent le roi et l'adossent à un pin. Il regarde à terre, il voit son neveu gisant. Et très doucement il lui dit ses regrets[4] : « Ami Roland! Que Dieu te fasse miséricorde! Jamais on ne vit pareil chevalier pour engager et pour gagner de grandes batailles. Ah! mon honneur s'en va vers son déclin! » Charles se pâme, il ne peut s'en empêcher.

207

vers 2892-2908

Le roi Charles revient de pâmoison; quatre de ses barons le tiennent par les mains. Il regarde à terre, il voit son neveu gisant. Roland a l'air encore plein de vie, mais il a perdu sa couleur, ses yeux sont retournés et remplis de ténèbres. Charles le plaint avec fidélité et amour : « Ami Roland,

---

1. *Naimes* : voir tome premier, page 36, note 1; 2. *Acelin* : voir laisse 12; 3. *Geoffroy d'Anjou*, gonfalonier de Charlemagne : voir laisse 8; 4. Le « regret » fait partie du rituel de la chevalerie. Voir laisses 162 et 167.

──────── **QUESTIONS** ────────

Sur les laisses 204-205. — Justifiez, au point de vue de la psychologie de Charles et de la vraisemblance, le rappel contenu dans la laisse 204. Comparez avec les laisses 174 à 176. — Analysez la douleur de l'empereur : ses marques sont-elles excessives? — Les notations de couleurs dans la laisse 205; leur naïveté.

Sur les laisses 206-207. — Comment, dans les attitudes, se traduit la douleur de Charles? Le « regret » de la laisse 206. Sur quoi porte-t-il? Pourquoi cette brièveté? — Comparez les débuts des laisses 206 et 207 : quel est l'effet produit? Montrez le réalisme pathétique dans l'évocation de Roland mort; en quoi la contenance de Charlemagne y fait-elle pendant? Analysez le second « regret »; ses thèmes, l'émotion, la valeur personnelle de la fin.

que Dieu mette ton âme parmi les fleurs du paradis, entre les glorieux[1]! Quel mauvais seigneur te conduisit en Espagne! Aucun jour ne se passera que je ne souffre pour toi! Désormais, ma force et mon ardeur vont déchoir! Je n'aurai plus personne qui soutienne mon honneur : sous le ciel, ce me semble, je n'ai plus un seul ami. J'ai des parents, mais aucun d'aussi preux! » Il s'arrache les cheveux à pleines mains, et cent mille Français en ont une telle douleur qu'il n'y en a pas un qui ne pleure amèrement.

208

vers 2909-2915

« Ami Roland, je vais m'en aller en France, et quand je serai à Laon[2], dans mon domaine privé, les vassaux étrangers viendront de plusieurs royaumes; ils demanderont : « Où est le comte capitaine? » Je leur dirai qu'il est mort en Espagne. Je ne régnerai plus que dans la tristesse; il ne se passera pas de jour que je ne pleure et ne gémisse. »

209

vers 2916-2932

« Ami Roland, ô preux, belle jeunesse, quand je serai à Aix, en ma chapelle[3], les vassaux viendront demander des nouvelles, et je leur en donnerai d'étonnantes et de cruelles : « Il est mort, mon neveu, qui m'a conquis tant de domaines! » Et contre moi vont se révolter les Saxons, les Hongrois, les Bulgares et beaucoup de nations ennemies, les Romains, et les gens de Pouille et de Palerme, et ceux d'Afrique et ceux de Califerne[4], et ma douleur et ma détresse n'en feront que croître. Qui sera assez fort pour conduire mes armées, maintenant qu'est mort celui qui toujours nous guidait? Ah! France, comme tu restes déserte! J'en ai si grand deuil

---

1. Le paradis est représenté dans les textes médiévaux comme un jardin empli de fleurs. D'ailleurs, le grec *paradeisos* signifie « un parc », et *champ flori* est souvent, au Moyen Age, synonyme de « paradis »; 2. Se reporter à la laisse 3 (tome premier, page 27) : selon notre poète, la vraie France, celle des Francs de France, va de Saint-Michel-du-Péril-en-la-Mer et Wissant à l'ouest à Besançon et Xanten à l'est. Autrement dit, c'est la Francia du xe siècle : la capitale en est bien Laon. L'ancienne capitale était Aix; plus tard, ce sera Paris; 3. Aix-la-Chapelle ne fut capitale que beaucoup plus tard (voir les laisses 4, 57, 271); 4. *Califerne* est un terme géographique difficile à identifier. Toute l'énumération qui précède suppose à l'empire de Charlemagne une extension qu'il n'a pas eue : seule la révolte des *Saxons* est conforme à l'histoire. L'Italie faisait partie de la zone d'influence de l'empire de Charlemagne, mais, à l'époque où fut composée la *Chanson*, elle était passée depuis 1070 environ sous la domination du Normand Robert Guiscard; l'allusion prend donc une certaine actualité.

que je voudrais ne plus vivre! » Il commence alors à tirer
sa barbe blanche et s'arrache à deux mains les cheveux de
sa tête : cent mille Français se pâment contre terre.

210

vers 2933-2944

« Ami Roland, que Dieu te fasse miséricorde! Que ton
âme soit mise en paradis! Qui t'a tué a fait la détresse de
la France : j'ai si grand deuil que je voudrais ne plus vivre!
Oh! mes chevaliers, qui avez été tués pour moi! Que Dieu,
le fils de sainte Marie, fasse qu'aujourd'hui, avant que
j'arrive aux maîtres ports de Cize[1], mon âme soit séparée
de mon corps; qu'elle aille prendre place avec leurs âmes,
et que ma chair soit enfouie près de la leur! » Il pleure des
yeux, il tire sa barbe blanche, et le duc Naimes dit : « Charles
a bien grande douleur! »

211

vers 2945-2950

« Sire empereur, lui dit Geoffroy d'Anjou, ne vous livrez
pas si fort à votre douleur. Par tout le champ de bataille,
faites chercher les nôtres que ceux d'Espagne ont tués dans
le combat; commandez qu'on les porte dans une même
fosse. » Le roi dit : « Sonnez donc votre cor[2]. »

212

vers 2951-2962

Geoffroy d'Anjou a sonné de son cor : les Français mettent
pied à terre, comme Charles l'a commandé, et tous leurs
amis qu'ils ont trouvés morts ils les ont aussitôt portés dans
une même fosse. Il y a dans l'armée beaucoup d'évêques
et d'abbés, de moines, de chanoines et de prêtres tonsurés :
ils ont absous les morts et les ont bénis au nom de Dieu;

---

1. Les *ports de Cize* (voir laisse 44) sont en Navarre, non loin de Roncevaux,
qui est en territoire espagnol. 2. Ici la *Karlamagnussaga*, version islandaise de
l'histoire de Charlemagne, intercale un miracle : des buissons d'épines naissent
des entrailles des païens, ce qui permet d'identifier les corps.

──────── **QUESTIONS** ────────

SUR LES LAISSES 208 A 210. — Montrez la symétrie qui existe entre
les laisses 208 et 209. En quoi y a-t-il cependant progression? Est-ce
pure humilité chez l'empereur lorsqu'il s'inquiète de l'avenir de son
empire? Expliquez en quoi le « regret » sur Roland vaut en fait pour
l'ensemble des chevaliers morts à Roncevaux : soulignez le pathétique
discret et sincère de la douleur exprimée dans la laisse 210. Quel effet
produit la réflexion de Naimes?

SUR LA LAISSE 211. — L'utilité de cette intervention de Geoffroy
d'Anjou; le naturel avec lequel elle intervient à cette place.

SAINT PIERRE REMET LE PALLIUM AU PAPE LÉON III
ET L'ORIFLAMME À CHARLEMAGNE

Mosaïque du VIIIe siècle au triclinium de Saint-Jean-de-Latran, à Rome.

CHARLEMAGNE RETROUVANT LE CORPS DE ROLAND À RONCEVAUX

Miniature de Jean Fouquet (1415-1480) pour les *Grandes Chroniques de France*.

puis ils ont fait brûler de la myrrhe et du thymiane[1], et tous, avec ardeur, ils ont encensé les cadavres; ils les ont ensuite enterrés avec grand honneur, et puis ils les ont laissés : que pourraient-ils faire de plus?

213 vers 2963-2973

L'empereur fait conserver le corps de Roland, celui d'Olivier et celui de Turpin[2]. Devant lui, il les fait ouvrir tous trois[3], et fait recueillir leurs cœurs dans une étoffe de soie, et les fait placer dans de blancs cercueils de marbre; puis on a pris les corps des barons, on les a mis dans des peaux de cerf[4], après les avoir bien lavés avec des piments et du vin. Le roi ordonne à Thibaut et à Géboin, au comte Milon et à Othon le marquis, de conduire ces trois corps sur trois charrettes : on les a bien recouverts d'un drap de soie de Galaza[5].

---

1. *Myrrhe* : gomme résineuse utilisée comme parfum depuis l'Antiquité. — *Thymiane* : encens liturgique; 2. Voir laisse 12. Il existe des versions de la *Chanson* qui ne font pas mourir Turpin à Roncevaux, mais le représentent, après le désastre, achevant ses jours comme archevêque de Reims : voir à ce sujet, dans le tome premier, la note 2 de la page 33; 3. Avant d'embaumer les corps, les entrailles ont été enlevées; 4. Dans les sépultures du VIIIe au XIIe siècle, on a trouvé de grands sacs de cuir ayant servi à envelopper des morts; 5. *Galaza* (ou *Glaza*) : ville d'Orient, célèbre alors pour ses étoffes.

--- **QUESTIONS** ---

Sur les laisses 212 a 213. — Que nous apprennent ces deux laisses sur les mœurs de l'époque? Justifiez le choix fait par Charlemagne de Roland, d'Olivier et de Turpin pour les embaumer. — Appréciez la question qui termine la laisse 212 : sa signification; le sentiment qu'elle exprime; la solidarité qu'elle témoigne entre le poète et ses personnages.

● Sur l'ensemble des laisses 203 a 213. — Montrez l'originalité de ce passage. Cherchez cependant d'autres regrets dans la *Chanson*. Étudiez la composition de cet épisode et la distribution des laisses.

— Le pittoresque dans ces vers : analysez-le. Quelle importance lui est donnée par le poète? Est-il développé consciemment comme élément digne d'intérêt?

— Le pathétique : ses sources et ses formes. Les marques de la douleur chez l'empereur et dans la foule de ses chevaliers.

— Roland vu à travers ce passage : comment apparaît-il? Comparez-le à la réalité antérieure. Montrez que ces laisses soutiennent sa gloire.

DÉFAITE ET MORT DE BALIGANT

214 vers 2974-2986

L'empereur Charles veut s'en retourner, quand, devant lui, surgissent les avant-gardes des païens. Des plus proches se détachent deux messagers; de la part de l'émir ils lui offrent la bataille. « Roi orgueilleux, tu ne vas pas t'en tirer en partant. Vois Baligant qui derrière toi chevauche. Énormes sont les forces qu'il amène d'Arabie. Aujourd'hui même, nous allons connaître si tu es vaillant. » Charles, le roi, en a saisi sa barbe; il pense à son deuil, à ses pertes. Fièrement il contemple son armée entière. Puis il s'écrie de sa voix forte et haute : « Barons français, à cheval et aux armes! »

215 vers 2987-2998

L'empereur le premier revêt son armure. Rapidement, il a revêtu sa broigne. Il lace son heaume[1], il a ceint Joyeuse, dont l'éclat égale celui du soleil. A son cou, il suspend un bouclier de Biterne. Il saisit son épieu, en fait vibrer le bois. Puis il monte sur Tencendor, son bon cheval. Il l'a conquis aux gués sous Marsonne, quand il désarçonna Malpalin de Narbonne et le tua. Il lâche la rêne, joue des éperons, galope sous les yeux de cent mille hommes. Il invoque Dieu et l'apôtre de Rome[2].

216 vers 2999-3013

Par tout le champ ceux de France mettent pied à terre. Plus de cent mille s'arment à la fois. Ils ont des équipements bien seyants. Leurs chevaux sont nerveux, très belles leurs armes. Ils sont maintenant à cheval et manœuvrent savamment. Si l'occasion survient, ils comptent bien se battre. Les gonfanons sur les heaumes pendent. Quand Charles voit de si belles contenances, il appelle Jozeran de Provence,

---

1. *Broigne, heaume* : voir Lexique, tome premier, page 24; 2. Saint Pierre. Quant aux allusions historiques de cette laisse, elles sont obscures.

──────── **QUESTIONS** ────────

SUR LES LAISSES 214-215. — Expliquez l'effet de surprise causé par l'arrivée des Sarrasins. Comment réagit Charles? Analysez ses mouvements successifs. Comparez la réponse de Charlemagne au ton de défi des messagers. — Les préparatifs du combat : faut-il voir dans la laisse 215 une simple énumération des pièces de l'armement? Montrez que le poète s'efforce de nous présenter des détails significatifs, traduisant chez son héros un état d'esprit particulier.

Naimes le duc, Anthelme de Mayence : « En tels vassaux on peut avoir confiance! Bien fou qui au milieu d'eux se tourmente. Si les Arabes ne renoncent pas à venir, je pense leur faire payer cher la mort de Roland. » Le duc Naimes répond : « Dieu nous l'accorde! »

217

vers 3014-3025

Charles appelle Ravel et Guinemant. Voici les paroles du roi : « Seigneurs, je vous ordonne de me tenir lieu d'Olivier et de Roland. Que l'un porte l'épée et l'autre l'olifant. Chevauchez tous deux au premier rang. Et avec vous quinze milliers de Francs, tous aspirants chevaliers, vaillants parmi nos plus braves. Après eux il y en aura autant, ils seront conduits par Géboin et Lorant. » Naimes le duc et le comte Jozeran forment en bon ordre ces corps de bataille. S'ils en trouvent l'occasion, la bataille sera terrible.

218

vers 3026-3034

Les premiers corps de bataille sont formés de Français. Ils sont deux. Ensuite on établit le troisième. Il est composé des vassaux de Bavière. On estima leur nombre à vingt mille chevaliers. De leur côté, jamais une ligne de bataille ne sera lâchée. Sous le ciel, il n'est pas de race que Charles aime mieux, hormis ceux de France qui conquièrent les royaumes. Le comte Ogier le Danois[1], le vaillant guerrier, les conduira. C'est une fière troupe.

219

vers 3035-3043

L'empereur Charles a donc trois corps de bataille. Alors Naimes le duc forme le quatrième. Il y fait entrer les barons les plus vaillants, Allemands des marches d'Allemagne. Tous les estiment à vingt milliers. Ils sont bien fournis de chevaux et d'armures. La peur de la mort ne les fera jamais fuir de la bataille. Herman, le duc de Thrace, les conduira. Plutôt que de commettre une couardise, il mourra.

---

1. Sur *Ogier le Danois*, voir tome premier, laisse 12, page 33.

━━━ QUESTIONS ━━━

Sur la laisse 216. — A quoi voit-on que le poète veut créer un sentiment de confiance dans la puissance des Français? Comment est évoquée cette foule?

220 vers 3044-3051

Naimes le duc et le comte Jozeran ont composé le cinquième corps : des Normands. Ils sont vingt mille, disent tous les Francs. Ils ont de belles armes et de bons chevaux rapides. La crainte de la mort ne les amènera jamais à se rendre. Sous le ciel, il n'est race plus puissante à la guerre. Richard le Vieux les conduira au combat; il frappera bien avec son épieu tranchant.

221 vers 3052-3059

Le sixième corps est fait de Bretons. Il y a là trente mille chevaliers. Ils chevauchent en vrais barons; les hampes de leurs lances sont peintes; leurs gonfanons y sont fixés. Leur seigneur se nomme Eudon. Il mande à lui le comte Névelon, Thibaud de Reims et le marquis Othon. « Guidez mes gens, je vous confie cette charge. »

222 vers 3060-3067

L'empereur a six corps de bataille. Naimes le duc constitue maintenant le septième : ce sont les Poitevins et les barons d'Auvergne. Ils peuvent être quarante mille chevaliers. Ils ont de bons chevaux, et leurs armes sont très belles. Ils se forment loin des autres, au pied d'une hauteur. De sa main droite, Charles les bénit. Jozeran et Godselme les conduiront.

223 vers 3068-3074

Naimes constitue le huitième : des Flamands et des barons de Frise : plus de quarante mille chevaliers. De leur côté, nulle ligne ne fléchira. Le roi dit : « Ces hommes me serviront bien. » Partageant le commandement, Raimbaud et Hamon de Galice les guideront en braves chevaliers.

224 vers 3075-3083

Naimes et Jozeran à eux deux ont constitué le neuvième corps : les Lorrains et ceux de Bourgogne, cinquante mille chevaliers, bien comptés. Ils ont lacé leurs heaumes, revêtu leurs broignes[1]. Ils ont des épieux forts, aux hampes courtes. Si les Arabes ne se dérobent pas, ils frapperont bien, pour peu qu'on en vienne au corps à corps. Leur chef sera Thierry[2], duc d'Argonne.

---

1. *Heaume, broigne :* voir Lexique, tome premier, page 24; 2. Ne pas confondre ce Thierry avec l'autre Thierry, frère de Geoffroy d'Anjou, dont il a été question à la laisse 206. Ce dernier se signalera à la fin du poème par un duel avec Pinabel.

225 vers 3084-3095

Le dixième corps est fait des barons de France. Ils sont
cent mille. Ce sont nos meilleurs capitaines. Ils ont corps
gaillards et fières contenances, chefs fleuris, barbes blanches.
Ils ont vêtu des haubers et des broignes à double tissu. Ils
ont ceint des épées de France ou d'Espagne. Des armoiries[1]
nombreuses ornent les beaux boucliers. Alors ils sont montés
à cheval, demandent la bataille. « Monjoie! » s'écrient-ils.
Avec eux se tient Charlemagne. Geoffroy d'Anjou porte l'oriflamme[2]. Elle avait été à Saint Pierre et se nommait Romaine.
Mais la bataille la fit nommer Monjoie[3].

226 vers 3096-3120

L'empereur descend de cheval. Sur l'herbe verte il s'est couché, face contre terre. Il tourne son visage vers le soleil
levant. Du fond du cœur, il invoque Dieu. « Notre vrai père,
en ce jour, défends-moi, toi qui sauvas vraiment Jonas[4] en

---

1. Ce mot traduit imparfaitement le terme *cunoisances* (« connaissances »). Il
semble bien que ces signes n'étaient pas à proprement parler des armoiries, mais
plutôt des indications mystérieuses et conventionnelles permettant de se reconnaître en pleine bataille; 2. L'oriflamme, de soie rouge tirant sur l'orangé, était
remise par l'abbé de Saint-Denis aux rois de France lorsqu'ils partaient en guerre.
L'origine en est mal connue : la représentation la plus ancienne figure sur deux
mosaïques du IXe siècle qui se trouvent à Saint-Jean-de-Latran, à Rome. L'une
d'elles montre saint Pierre remettant à Charlemagne un étendard vert (l'étendard
de la ville des papes était vert); sur l'autre, on voit le Christ remettant à Charlemagne une bannière rouge (l'étendard de l'Empire était rouge). Voir l'illustra-
tion, page 78. Plus tard, une confusion s'est produite : on a confondu l'oriflamme
carolingienne et l'oriflamme capétienne, l'une et l'autre rouges mais représentant
l'une l'Empire, l'autre l'abbaye de Saint-Denis. Voir la note 1 de la laisse 92;
3. Sur *Monjoie!* voir la note 1 de la laisse 92; 4. Dans les prières des chansons de
geste très souvent sont évoqués les miracles de Lazare, de Daniel, de Jonas.
Voir laisse 176. Ici, les références sont évidentes : Jonas, II et III; Daniel, VI et III.
L'allusion au roi de Ninive rappelle comment Jonas fut écouté par le roi de
Ninive, à qui il prêchait la pénitence, et comment celui-ci évita ainsi la colère
de Dieu. Quant aux *trois enfants* préservés du feu, il s'agit en réalité de trois
Hébreux arrêtés, qui avaient refusé d'adorer la statue de Nabuchodonosor, roi
de Babylone; condamnés à être brûlés dans la fournaise, ils furent préservés par
Dieu, dont Nabuchodonosor reconnut la puissance.

——————— QUESTIONS ———————

Sur les laisses 217 a 225. — Quel est le thème de ces laisses? Compa-
rez-les aux laisses 69-78 : ressemblances et différences dans ce catalogue
des combattants avant la bataille. Essayez d'imaginer les raisons qui
faisaient l'intérêt de ce passage pour les contemporains : patriotisme
régional, goût des faits de guerre. N'est-ce pas aussi une habileté que
de préparer le combat — morceau héroïque — en le faisant attendre?
Comment se marque la détermination de tous ces chevaliers à
combattre? — Pourquoi avoir terminé sur les barons de France?
Qu'ont-ils de particulier? Imaginez le rôle qu'ils peuvent tenir dans
l'armée (pensez à la phrase *Avec eux se tient Charlemagne*).

le tirant du corps de la baleine, épargnas le roi de Ninive,
délivras Daniel de sa peine inouïe en la fosse aux lions, préservas du feu les trois enfants! Que ton amour en ce jour
m'assiste! Par ta grâce, s'il te plaît, accorde-moi la faveur
de venger mon neveu Roland! » Ainsi pria-t-il. Puis il se
releva, et, debout, il se signa du signe puissant. Le roi monte
sur son cheval rapide. Naimes et Jozeran lui tinrent l'étrier.
Il prend son bouclier et son épieu tranchant. Son corps est
noble, gaillard et de belle prestance; il a le visage clair et
assuré. Il se met en route résolument. A l'avant, à l'arrière,
les clairons sonnent; plus fort que tous les autres a retenti
l'olifant. Les Français pleurent : ils regrettent Roland.

227
vers 3121-3136

Très noblement, l'empereur chevauche. Hors de la broigne,
sur sa poitrine il a étalé sa barbe[1]. Pour l'amour de lui, les
autres font de même. A cette marque se reconnaissent les
cent mille Francs. Ils franchissent les puys et les roches
escarpées, les vaux profonds, les défilés pleins d'angoisse[2].
Ils sortent des ports et des terres incultes. Ils ont pénétré
dans la marche d'Espagne. Au milieu d'une plaine ils se
sont établis. Vers Baligant reviennent ses émissaires[3] : un
Syrien lui a dit son message. « Nous avons vu l'orgueilleux
roi Charles. Ses hommes sont fiers; aucune chance qu'ils
ne lui manquent. Armez-vous. Sur l'heure vous allez avoir
la bataille! » Baligant dit : « Il s'agit maintenant de montrer
son courage. Sonnez vos clairons, que mes païens le sachent! »

---

1. Anachronisme. Voir note 3 de la laisse 4. Le geste de Charlemagne est de
plus agressif. Chaque fois que l'empereur est irrité, sa barbe blanche « inonde »
sa cuirasse. Dans la bataille, les barbes des Francs « ondoient » sur leurs cuirasses;
2. Dans son édition de *la Chanson de Roland*, note 892, L. Gautier cite une relation
manuscrite : « Dans beaucoup d'endroits, deux hommes ne peuvent passer de
front. Or, du texte même de la *Chanson*, il ressort que cent mille hommes non
seulement ont franchi, mais se sont déployés »; 3. Il s'agit des messagers envoyés
auprès de Charlemagne pour lui déclarer la guerre (laisse 214). Les Syriens jouent
invariablement des rôles d'espions dans tous les récits de l'expédition de Jérusalem.

--- **QUESTIONS** ---

SUR LA LAISSE 226. — Composition de cette laisse. La prière n'est-
elle ici qu'un rite qu'on accomplit avant toute bataille, ou prend-
elle ici une valeur particulière? Expliquez l'expression *signe puissant*. Faites
le lien entre les deux dernières phrases. — Quelle signification prend
le fait que l'olifant a retenti *plus fort que tous les autres*? Que repré-
sente-t-il? Qui le détient?

vers 3137-3171

Par toute l'armée ils font résonner leurs tambours[1], et les
trompettes et les clairons au son clair. Les païens mettent
pied à terre pour revêtir leurs armures. L'émir non plus n'a
cure de tarder. Il revêt une broigne aux pans brodés. Il lace
son heaume d'or gemmé. A son côté gauche, il ceint son
épée. En son orgueil il lui a trouvé un nom : songeant à celle
de Charles dont on lui avait dit le nom, il a baptisé la sienne
« Précieuse ». Et « Précieuse » sera son cri de guerre en la
bataille rangée. Il a fait pousser ce cri par ses chevaliers. A
son cou, il suspend un sien grand bouclier large : la boucle
en est d'or et la bordure de cristal; la courroie est d'un bon
drap de soie broché et orné de rosaces. Il saisit son épieu;
il l'appelle « Maltet ». La hampe en est grosse comme une
massue; le fer seul en suffirait à charger un mulet. Sur son
destrier Baligant est monté. Marcule d'Outre-Mer lui a tenu
l'étrier. Le preux a grande enfourchure, il est grêle aux flancs,
il a larges les côtés, bombée la poitrine : il est bien moulé.
Il a les épaules larges, le visage clair, le regard farouche, les
cheveux frisés; il était aussi blanc que fleur en été. De sa
bravoure, il a souvent fait la preuve. Dieu, quel baron s'il
eût été chrétien[2]! Il pique son cheval : le sang jaillit tout
clair. Il se met au galop. Il saute par-dessus un fossé. On y
peut mesurer cinquante pieds de large. Les païens s'écrient :
« Il est fait pour défendre les marches! Il n'est pas un Français, s'il vient à jouter contre lui, qui n'y perde, bon gré mal
gré, la vie! Charles est fou de n'être pas parti! »

---

1. L'emploi du mot *tambours* (*taburs* dans le texte d'Oxford) et aussi le rôle
que jouent les chameaux sont à rapprocher d'un épisode capital de l'histoire
d'Espagne : en 1086, durant la Reconquête, Alphonse VI fut battu à Zalaca. Les
Almoravides triomphèrent en cette occasion par le parti que leurs chefs surent
tirer du bruit des *taburs* et de la surprise que fut pour les chrétiens l'apparition
des chameaux dans le dispositif de l'armée qu'ils avaient à combattre. Ce détail,
joint à beaucoup d'autres, amène à situer la composition aux dernières années
du XIe siècle; 2. Même réflexion à la laisse 72.

QUESTIONS

Sur les laisses 227-228. — Les préparatifs du combat de part et
d'autre. Montrez que le poète cherche à nous faire prévoir le caractère
exceptionnel, gigantesque de la lutte. Analysez les différents points
sur lesquels porte le grossissement épique. Le pittoresque dans l'armement de l'émir; que témoigne la richesse de ses armes? Quelle est la
portée de la réflexion faite par les païens à la fin de la laisse 228?

229
vers 3172-3183

L'émir est tout semblable à un baron. Sa barbe est blanche comme fleur. En sa religion il est clerc accompli. Dans la bataille il est farouche et fier. Son fils Malpramis est grand chevalier : de haute stature et vaillant, il ressemble à ses ancêtres. Il dit à son père : « Eh bien, Sire, chevauchons ! Je serais bien étonné si nous rencontrions Charles ! » Baligant dit : « Si, nous le verrons, car il est très preux. Maintes histoires de lui font grands éloges. Mais il n'a plus l'ombre de Roland son neveu ; il n'aura pas une puissance capable de tenir contre nous. »

230
vers 3184-3200

« Beau fils Malpramis, dit Baligant, l'autre jour fut occis Roland, le bon vassal, et Olivier, le preux et le vaillant, et les douze pairs que Charles aimait tant, et de ceux de France vingt mille combattants. Tous les autres je ne les prise pas la valeur d'un gant. En vérité, l'empereur revient vers nous, mon messager, le Syrien, me l'a annoncé, et dix corps de batailles énormes. Il est très preux celui qui sonne l'olifant ; d'un cor au son clair, son compagnon lui répond. Tous deux chevauchent en avant, et avec eux quinze mille Francs, de ces jeunes chevaliers que Charles appelle ses enfants. Et après il en vient encore autant. Ils frapperont très bravement. » Malpramis dit : « Je vous demande de frapper le premier coup ! »

231
vers 3201-3214

« Malpramis, mon fils, lui a dit Baligant[1], je vous accorde tout ce que vous m'avez demandé. Contre les Français sur

---

1. Selon H. Grégoire, Baligant serait Georges Paléologue, qui contribua à l'avènement d'Alexis Iᵉʳ Comnène comme empereur de Constantinople (1081) et défendit plus tard (1107) Durazzo contre les entreprises de Bohémond Iᵉʳ, prince d'Antioche et fils de Robert Guiscard. On peut, en effet, justifier les déformations phonétiques qui expliqueraient la transformation de *Paléologue* en *Baligant* (*p* initial devenu *b*, *léolo*, réduit à *li*, etc.). D'autre part, Canabeus est frère de Baligant. Or, Comnène était beau-frère de Paléologue. Et *Torleu* serait Traulos, chef des pauliciens, secte religieuse d'origine chrétienne, dont beaucoup de membres étaient passés à l'islamisme. Mais, selon une hypothèse plus vraisemblable, l'émir de Babylone n'est pas le général byzantin, mais bel et bien le calife fatimide du Caire, que les croisés devaient trouver en face d'eux à Jérusalem et à Ascalon. Il est désigné par les historiens sous le nom de « Ammiratus Babiloniale ». Lui seul pouvait se permettre de convoquer les hommes de quarante royaumes. Surtout, seul, il méritait d'être désigné par le trouvère comme le grand chef des païens. (Byzance n'a rompu avec l'Église romaine qu'en 1054, et cette rupture n'a pas empêché Grégoire VII, en 1074, de demander aux chrétiens de secourir les Byzantins en difficulté ; et la fille de Robert Guiscard a épousé Constantin, fils de l'empereur de Byzance.)

le champ vous allez férir. Vous y mènerez Torleu, le roi
persan, et Dapamort, un autre roi leutice[1]. Si vous pouvez
mater leur grand orgueil, je vous donnerai un pan de mon
pays, depuis Cheriant jusqu'au Val Marchis. » Il répond :
« Sire, merci! » Il avance, recueille l'investiture : c'était la
terre du roi Flori. Depuis, il ne devait jamais voir ce don :
du fief il ne fut jamais revêtu ni saisi.

232   vers 3215-3236

L'émir chevauche à travers son armée. Son fils à la très
haute stature le suit. Le roi Torleu et le roi Dapamort établissent très rapidement trente corps de bataille. Ils ont
des chevaliers dont l'élan est admirable. Dans le plus petit,
on n'en comptait pas moins de cinquante mille. Le premier
corps est formé de ceux de Butentrot[2], le second de Micènes[3]
aux grosses têtes. Sur les échines, au long du dos, ils ont des
soies tout comme les porcs. Le troisième est formé de Nubles

---

1. Les Leutis (en latin *leuticii*) ne sont autres que les witzes, qui habitaient
alors le Mecklembourg actuel. **2.** *Butentrot* : il s'agit de *Buthrotum* des Latins,
du *Bitrinto* actuel (en Épire). H. Grégoire avait pensé que le texte parlait d'un défilé
menant du plateau d'Anatolie à la plaine de Cilicie : il s'appuyait sur l'interprétation que l'on donnait à *cels de Jéricho* (vers 3228) et à *Canelius les laiz* (vers 3238),
considérant qu'il s'agissait de Jéricho en Palestine et des Chananéens. Mais il
existe en Épire un Jéricho, situé dans la baie de Valona, et un Kanina tout proche,
dont les habitants sont nommés « Chanineis » dans le manuscrit de Venise de la
version assonancée. Ces territoires, entre autres, furent conquis par Bohémond
dans les premiers mois de 1101 ; **3.** H. Grégoire estime que les *Micenes as chiefs
gros* sont les Nemitzes, autrement dit les « Muets », que Théophane, historien
byzantin, signale comme ayant des poils le long du dos comme les porcs. Toujours
selon H. Grégoire, les *Nubles* seraient les *pubies*, c'est-à-dire les *pauliciens*, que les
historiens du XIIᵉ siècle désignaient sous le nom de *publicani*. De même les *Blos*
seraient les *Valaques*, ceux que Villehardouin nomme *Blas* (les nécessités de l'assonance amèneraient ici l'altération de *Blas* en *Blos*). De même, les *Gros* du vers 3229
seraient les *Grieus* (c'est-à-dire les Grecs). Ces identifications sont tout au plus
des probabilités. Il faut seulement en retenir une chose : le poète tient à nommer
tous les peuples qui avaient effrayé l'Europe chrétienne et où les Slaves et les
Tartares dominaient.

───────── **QUESTIONS** ─────────

SUR LES LAISSES 229 A 231. — Que signifie la première phrase de la
laisse 229? En quoi est-ce un compliment qui se justifie par l'attitude
de l'émir dans ces trois laisses? — Le personnage de Malpramis : analysez
son caractère; faites la distinction entre les traits individualisés et ce
qui appartient à un type. Ces deux Sarrasins sont-ils identiques? Res-
semblent-ils à tous les autres que nous avons rencontrés jusqu'ici?
Quels rapprochements peut-on faire entre l'émir et Grandoigne
(laisses 122 à 124)? — Sur quelle indication se termine la laisse 231?
Quelle est l'intention du poète?

et de Blos[1], et le quatrième de Bruns et d'Esclavons, le cinquième de Sorbres[2] et de Sors, et le sixième d'Arméniens et de Maures, et le septième de ceux de Jéricho, et le huitième de Nigres[3], et le neuvième de Gros, et le dixième de ceux de Balide la Forte[4]. C'est une engeance qui jamais ne voulut le bien. L'émir jure par tous les serments qu'il peut, par les miracles et par le corps de Mahomet : « Charles de France est bien fou de chevaucher! Il y aura bataille s'il ne se retire pas. Jamais plus il ne portera la couronne d'or. »

233
vers 3237-3251

Après ils établissent dix autres corps : le premier formé de Canélieux[5] très laids : de Val Fuit[6] ils arrivent par le travers. Le second de Turcs, le troisième de Persans, le quatrième de Petchenègues[7], le cinquième de Solteras[8] et d'Avers[9], le sixième d'Ormaleus et d'Eugiers[10], le septième du peuple de Samuel[11], le huitième de ceux de Bruise, le neuvième de Clavers, le dixième de ceux d'Occian[12] le désert. C'est une engeance qui ne sert pas Notre Seigneur Dieu. Jamais vous n'entendrez parler de pires félons. Ils ont le cuir dur comme fer. C'est pourquoi ils n'ont cure de heaume ni de haubert. A la bataille, ils sont rusés et obstinés.

---

1. Le texte d'Oxford porte *Bruns*. H. Grégoire lit *Blos*, ce qui est ingénieux à cause du texte de Villehardouin, et transcrit le *Ros* de la version assonancée de Venise. Ajoutons que, dans deux manuscrits de la version rimée, on lit : *Cil de Roussie* (contingent de l'armée byzantine); 2. Les *Sorbres* et les *Sorz* sont les Serbes. Les *Esclavoz* sont les Slavons; 3. *Nigres* : H. Grégoire lit *Wangres* et fait un rapprochement avec les Walgres du *Ruolandeslied*. Il s'agirait des Varanges de l'armée byzantine; 4. *Balide la Forte* (de même que *Baldise la Longue* au vers 3255) serait proche du cap Pali; 5. *Canélieux* : voir note 2, laisse 232; 6. *Val Fuit* pourrait être la Voïussa moderne, conquise également au début de 1080 par Bohémond; 7. Les *Petchenègues* sont appelés *Scythes* par Anne Comnène (*l'Alexiade*) ; 8. *Solteras*. Peut-être ne s'agit-il pas d'un peuple, mais tout simplement de sauterelles. Les nuages dévastateurs de sauterelles avaient produit sur les croisés une terrifiante impression. Un chroniqueur, Fouché de Chartres, signale en particulier des nuées de sauterelles venues d'Arabie et s'abattant sur la Palestine, mettant à mal ses récoltes (*Histoire occidentale*, III, p. 428); 9. Les *Avers* sont probablement les Avares, peuple barbare à peu près anéanti par Charlemagne; 10. H. Grégoire corrige *Eugiez* en *Englez* (Anglais). Cette correction ne paraît pas solidement appuyée. En effet, le manuscrit de Châteauroux et la version rimée de Venise corrigent le même mot en *Rohais*. Rohais est le nom franc de la ville d'Edesse. H. Grégoire se fonde sur le fait que les Anglais, à la suite de la conquête normande, avaient émigré et constitué un contingent de l'armée byzantine; 11. Le *peuple de Samuel* désigne les anciens peuples du royaume de Samuel, c'est-à-dire les Bulgares de l'Ouest; 12. *Occian* : il semble qu'il y ait là une transposition du nom de l'émir Yaghi Sian, lequel était à la tête des troupes musulmanes qui défendaient Antioche contre les croisés. Ce nom a été transposé des manières les plus diverses : Cassianus, Aoxianus, et l'imagination du poète est, semble-t-il, aussi vive que le sera celle d'un Hugo, qui fit d'un village espagnol le nom du héros d'un de ses drames (*Hernani*). D'un dignitaire turc, on fait un pays désert.

234 vers 3252-3264

L'émir a disposé dix corps de bataille. Le premier est formé
des Géants de Malprose, le second de Huns, le troisième de
Hongrois, le quatrième de ceux de Baldise la Longue, le
cinquième de ceux de Valpeneuse, le sixième de ceux de
Marose[1], le septième des gens de Leux et d'Astrimone[2],
le huitième de ceux d'Argoille[3], le neuvième de ceux de
Clarbonne[4], le dixième de ceux de Fronde aux longues
barbes, engeance qui jamais n'aima Dieu. Les Annales des
Francs[5] dénombrent ainsi trente corps de bataille. Grandes
sont les armées où les trompettes résonnent. Les païens chevauchent en vaillants.

235 vers 3265-3278

L'émir est un homme riche et puissant. Devant lui il fait
porter son dragon et l'étendard de Tervagant et de Mahomet,
et une idole d'Apollon, le félon. Dix Canélieux chevauchent
à l'entour; à pleine voix ils prêchent : « Qui de nos dieux
veut obtenir protection les prie et les serve avec grande
piété! » Les païens, très bas, baissent leurs chefs et mentons.
Leurs heaumes brillants s'inclinent jusqu'à terre. Les Français disent : « Vous allez mourir sur-le-champ, truands! Ce
jour verra votre confusion! Vous, notre Dieu, protégez Charles!
Que l'issue de cette bataille se tranche en son nom[6]! »

---

1. *Marose :* désigne Marasch; les historiens des croisades désignent aussi cette
ville par *Marusis* ou *Marasis ;* 2. Les *Astrimones* sont les riverains du Strymon,
fleuve limoneux de Thrace; 3. *Argoilles* représente sans doute Héraclée, ville
ancienne de Lucanie, en Italie; 4. *Clarbonne :* transposition probable du nom de
l'émir Kerbogha, qui commandait sous les murs d'Antioche une armée turque.
Le nom est aussi altéré en Corbagan, Corhagas, Borbaran, Corbanas; 5. Comme
à la laisse 111, le poète se réfère à une chronique historique; mais ce n'est pas
la preuve que le poème s'inspire d'un texte précis : il peut s'agir d'une allusion
vague destinée à garantir la vraisemblance des faits; 6. « Dieu le veut! » est précisément le cri de ralliement de la première croisade, ce qui est un indice supplé-
mentaire permettant de dater *la Chanson de Roland* comme postérieure à cette
croisade.

━━━━━━ QUESTIONS ━━━━━━

Sur les laisses 232 a 235. — Comparez cette énumération à celle
des forces de Charlemagne (laisses 217-225) : nombre de laisses; importance numérique des chevaliers; diversité d'origine ethnique (que signi-
fie-t-elle?); caractérisation de chaque groupe. — Quelle est l'impression finale devant ce déploiement de forces de part et d'autre? — Portée
et intérêt de la laisse 235. Montrez en particulier que c'est un moyen,
pour le poète, de resserrer le champ de vision en y réunissant Francs
et païens. — Quel est le véritable enjeu de la bataille?

236 vers 3279-3290

L'émir est un chef de grand savoir; il appelle à lui son fils et les deux rois. « Seigneurs barons, vous chevaucherez devant : vous montrerez la route à tous mes corps de bataille. Mais, parmi les meilleurs, je veux en retenir trois. L'un de Turcs, l'autre d'Ormaleus, le troisième des Géants de Malprose; ceux d'Occian seront avec moi. Ils se mesureront avec Charles et les Français[1]. Si l'empereur lutte avec moi, sur ses épaules je lui prendrai la tête. Qu'il en soit sûr, il ne saura prétendre à autre droit. »

237 vers 3291-3304

Grandes sont les armées, et beaux les corps de bataille. Entre les adversaires il n'y a ni puy, ni val, ni tertre, ni forêt, ni bois, ni rien qui puisse dérober aux regards. Ils se distinguent nettement, en rase campagne. Baligant dit : « Allons, mes païens, chevauchez et provoquez la bataille! » Amborre d'Oluferne[2] porte l'enseigne. Les païens s'exclament : ils crient son nom : Précieuse! Les Français disent : « Qu'aujourd'hui vous apporte grand désastre! » Très haut ils crient de nouveau : « Monjoie! » L'empereur fait alors sonner les clairons et l'olifant qui réchauffe les cœurs. Les païens disent : « L'armée de Charles est belle. Nous allons avoir une bataille terrible et sans merci. »

---

1. Il s'agit ici non pas de toute l'armée, mais du dixième corps de bataille (laisse 225), composé de l'élite des barons de la France proprement dite; 2. *Oluferne*, en poésie épique, désigne Alep.

──────── **QUESTIONS** ────────

Sur les laisses 236-237. — L'intérêt de la première phrase de la laisse 236 : montrez qu'elle s'harmonise avec le sens de tout le développement qui précède. Pourquoi l'émir a-t-il une telle confiance dans la victoire? Quel est l'effet dramatique produit sur l'auditoire du poète? — Comment se dessinent à l'avance les épisodes de la bataille? — Dans quelle mesure (laisse 237) l'indication fournie sur la topographie *(rase campagne)* est-elle destinée à l'imagination visuelle des auditeurs? Montrez qu'ainsi une impression de visibilité totale sur une foule immense est donnée; la description pourrait-elle obtenir le même résultat?

238 vers 3305-3328

Grande est la plaine et large la contrée. Les heaumes aux pierres d'or gemmées brillent, et les boucliers et les cuirasses bordées et les épieux et les enseignes fixées aux épieux. Les clairons sonnent, leurs voix sont très claires; hautes sont les sonneries de l'olifant. L'émir appelle son frère, Canabeu, roi de Floredée; il tenait tout le pays jusqu'à Val Sevrée. Il lui a désigné les corps de bataille de Charles. « Voyez l'orgueil de France la Louée! Avec quelle majesté chevauche l'empereur! Il est derrière avec toute cette race dont les barbes sont blanches comme neige sur terre gelée, étalées sur les cuirasses. Ils frapperont bien, avec lances et épées. Nous allons avoir une bataille violente et terrible. De mémoire d'homme on n'aura vu telle rencontre. » De plus loin qu'on ne lance un bâton pelé, Baligant a dépassé ses compagnons. Voici sa proclamation : « Venez, païens, je vais vous montrer la route! » La hampe de son épieu en a vibré; il a brandi la hampe de son épieu. Il en a tourné la pointe vers Charles.

239 vers 3329-3344

Charlemagne, quand il voit l'émir et le dragon, l'enseigne et l'étendard — il y a une telle foule d'Arabes que le pays en est couvert à part le terrain que tient Charles —, le roi de France s'écrie bien haut : « Barons français, vous êtes bons vassaux. Vous avez soutenu tant de batailles rangées! Voyez! Les païens sont félons et couards; toute leur loi ne leur vaut pas un denier. Qu'ils soient nombreux, qu'importe? Qui ne veut à l'instant venir avec moi, qu'il s'en aille! » Alors il pique son cheval des éperons, et du coup Tencendor fait quatre sauts. Les Français disent : « Ce roi est un vaillant! Chevauchez, preux! Pas un de nous ne vous fait défaut. »

240 vers 3345-3351

Clair est le jour et le soleil luisant. Belles sont les armées, grands les corps de bataille. Les premiers s'affrontent. Le comte Ravel et le comte Guinemant lâchent les rênes à leurs chevaux rapides, éperonnent vivement. Alors les Francs s'élancent. Ils vont frapper de leurs épieux tranchants.

───── **QUESTIONS** ─────

SUR LA LAISSE 238. — Rapprochez le début de cette laisse de celui de la laisse 81; quelle est l'intention du poète? Montrez la valeur symbolique de la dernière phrase.

241

Le comte Ravel est chevalier hardi. De ses éperons d'or fin il pique son cheval, et il va frapper Torleu, le roi persan. Ni le bouclier ni la cuirasse ne résistent. L'épieu doré, il le lui a enfoncé à travers le corps : si bien qu'il l'abat mort sur un petit buisson. Les Français disent : « Seigneur Dieu nous aide! Charles a pour lui le droit, nous ne devons pas lui faillir. »

242

Guinemant charge un roi leutice[1]. Il lui a brisé l'écu orné de fleurs, puis il a déchiré la cuirasse et il lui a plongé dans le corps son gonfanon. Il l'abat mort, qu'on en pleure ou qu'on en rie. A ce coup, ceux de France s'écrient : « Frappez, barons, ne tardez pas! Charles a droit contre cette race. Dieu nous a élus pour dire le vrai jugement. »

243

Malpramis monte un cheval tout blanc. Il se jette dans la presse des Français; il va des uns aux autres, frappant de grands coups. Souvent il retourne mort un guerrier sur un cadavre. Tout le premier Baligant s'écrie : « O mes barons, je vous ai longtemps nourris. Voyez mon fils : il est à la recherche de Charles. Combien de barons il défie de ses armes! Jamais je ne chercherais plus vaillant que lui! Secourez-le de vos épieux tranchants. » A ces mots, les païens avancent; ils frappent de durs coups : le combat est terrible. La bataille est merveilleuse et lourde; ni avant ni après on ne vit choc plus violent.

---

1. *Leutice* : voir page 88, note 1.

--------- **QUESTIONS** ---------

Sur les laisses 239 a 242. — Mettez en relief l'unité de chaque laisse : montrez que la brièveté de chacune accélère le rythme du récit. — Pourquoi le poète insiste-t-il sur le grand nombre des païens? Les Francs ont-ils l'air d'avoir la même confiance aveugle dans une victoire facile sur leurs adversaires? Montrez comment Charles les entraîne. Soulignez leur confiance grandissante d'une laisse à l'autre. Comment interprètent-ils les premiers succès? Quel rôle joue, sur ce plan, le mot *droit?*

244   vers 3383-3395

Grandes sont les armées et fiers les bataillons : tous les
corps de bataille sont aux prises. Les païens frappent merveilleusement. Dieu! Tant de hampes brisées par le milieu!
de boucliers mis en pièces! de hauberts démaillés! On en
pouvait voir la terre toute jonchée. L'herbe du camp, si
verte, si délicate [...]. L'émir s'adresse de nouveau à ceux de
sa maison. « Frappez, barons, sur l'engeance chrétienne! »
La bataille est très dure et acharnée; ni avant ni depuis,
jamais on n'en vit de si âpre. Elle se poursuivra sans trêve
jusqu'à la nuit.

245   vers 3396-3404

L'émir invoque les siens : « Frappez, païens : vous n'êtes
là que pour cela! Je vous donnerai des femmes nobles et
belles. Je vous donnerai des fiefs, des honneurs et des terres. »
Les païens répondent : « Ainsi devons-nous faire. » A grands
coups ils frappent, si bien qu'ils brisent les épieux. Alors
ils dégainent plus de cent mille épées. Voici la mêlée douloureuse et horrible : c'est bien une bataille que contemple
celui qui s'y trouve!

246   vers 3405-3420

De nouveau, l'empereur s'adresse aux Français : « Seigneurs barons, je vous aime, j'ai en vous confiance. Tant de
batailles vous avez livrées pour moi, conquis tant de royaumes,
détrôné tant de rois! Je reconnais bien que je vous en dois
récompense : ma personne, des terres, des richesses. Vengez
vos fils, vos frères, vos héritiers, qui, à Roncevaux, tombèrent l'autre soir! Vous le savez, contre les païens, j'ai pour

──────── QUESTIONS ────────

SUR LES LAISSES 243-245. — Qui semble prendre ici l'avantage?
Montrez la symétrie de ces laisses par rapport aux laisses 239-242,
mais aussi les différences qui créent un « climat » particulier, quand
le poète décrit les païens. Relevez dans ce passage les expressions qui,
d'une laisse à l'autre, comme déjà dans les laisses 237 et 238, forment,
avec des variantes, le « thème » des païens. — Comment le poète
évoque-t-il les mouvements de foule? D'après ce texte, comment vous
représentez-vous le choc de deux armées de chevaliers à cette époque?
S'agit-il d'une mêlée générale, d'une succession de combats individuels,
des deux à la suite? En quoi ce fait pouvait-il favoriser une littérature
épique, chantant des exploits héroïques d'individus exceptionnels?

moi le droit. » Les Francs répondent : « Sire, vous dites vrai. » Ils sont vingt mille autour de lui. Tous ensemble ils lui jurent leur foi : jamais ils ne l'abandonneront, ni par crainte de la mort ni par détresse. Tous y emploieront leurs lances. De leurs épées ils se mirent à frapper à tour de bras. La bataille devient étrangement angoissante.

247 vers 3421-3428

Malpramis parmi le champ chevauche. De ceux de France il fait grand carnage. Naimes le duc pose sur lui son fier regard. En vaillant il court sus à lui. De son bouclier il brise le cuir. De son haubert il arrache les deux broderies d'or; dans le corps il lui enfonce l'enseigne jaune tout entière. Entre sept cents autres il l'abat mort.

248 vers 3429-3443

Le roi Canabeu, frère de l'émir, de ses éperons pique énergiquement son cheval. Il a tiré l'épée dont le pommeau est de cristal. Il frappe Naimes sur son heaume princier; il en fracasse la moitié. De son épée d'acier il en tranche cinq lanières. Le capuchon[1] ne lui sert de rien : il tranche la coiffe jusqu'à la chair, en précipite à terre une pièce. Le coup fut rude et stupéfia le duc. Il serait tombé tout de suite sans l'aide de Dieu. Il saisit le col de son destrier. Si le païen eût redoublé, le noble guerrier était mort. Charles de France survint; il va le secourir.

249 vers 3444-3450

Naimes le duc connaît une angoisse combien extrême. Le païen se hâte pour frapper. Charles lui dit : « Culvert[2], c'est pour votre malheur que vous donnâtes ce coup! » De toute

---

1. Ce capuchon de mailles (capelier) faisait partie du haubert. Sur lui, on ajustait le heaume au moyen de lanières, les *lacs*; 2. *Culvert* : voir la laisse 60, tome premier, page 58, et la laisse 170, page 22 du présent volume.

--- **QUESTIONS** ---

Sur la laisse 246. — Comparez cette exhortation à celle de Baligant (laisse 245) et à la première exhortation de Charlemagne (laisse 239) : est-ce le même ton? Montrez qu'il n'y a pas uniformité, mais adaptation à la situation et aux personnages. — Pourquoi préciser tant de fois (relevez les autres dans les laisses antérieures) que les hommes de Charles ne l'abandonneront pas? Le pathétique de ces appels successifs

sa vaillance il court sur lui. Il lui brise le bouclier dont il
lui écrase le cœur. De son haubert, il rompt la ventaille[1].
Il l'abat mort; la selle reste vide.

250 vers 3451-3462

Grande est la douleur du roi Charlemagne quand, devant
lui, il voit Naimes blessé et le sang clair couler sur l'herbe
verte. L'empereur lui a conseillé : « Beau sire Naimes,
chevauchez donc avec moi. Il est mort, le misérable qui vous
tenait en détresse. Je lui ai mis une bonne fois mon épieu
au travers du corps. » Le duc répond : « Sire, je me confie
à vous. Pour peu que je vive vous n'y perdrez pas. » Puis ils
se mettent l'un près de l'autre en tout amour, en toute foi.
Avec eux il y a vingt mille Français. Pas un qui ne frappe
ou qui ne taille[2].

251 vers 3463-3472

L'émir chevauche par le champ. Il s'en va frapper le comte
Guinemant. Contre le cœur il lui écrase son bouclier blanc.
Il déchire les pans de son haubert. Il lui ouvre la poitrine.
Il l'abat mort. Il tombe de son cheval rapide. Il tue encore

---

1. *Ventaille :* la partie du haubert qui s'attachait sous le menton ; 2. *Frapper*
désigne le fait de donner des coups de la pointe de l'épée, tandis que *tailler*
signifie « frapper du tranchant ».

─────── QUESTIONS ───────

SUR LES LAISSES 247 A 249. — Analysez la composition de ces récits
de combats singuliers : montrez comment le poète présente successivement les protagonistes : apparition, récit de leurs hauts faits, disparition, remplacement. Soulignez que dans ces combats individuels la
hiérarchie est respectée. — Pourquoi tant de précisions sur les dégâts
et les blessures infligés par les coups d'épée? Faut-il parler ici de réalisme? Est-ce un sentiment d'horreur que sont destinés à créer ces
détails? Par comparaison à d'autres récits de bataille qui se trouvent
dans la *Chanson*, montrez la permanence de certaines images dans ces
épisodes de lutte. Marquez le souci du poète de concilier la vraisemblance et l'intérêt héroïque (laisse 248). A quoi sert donc également
le merveilleux? — Comment le poète exprime-t-il l'empressement de
Charles à secourir Naimes?

SUR LA LAISSE 250. — Comment se traduit ici l'humanité de Charles?
En quoi le portrait nuancé du personnage se complète-t-il ici? Diffé-
renciez son attitude envers Naimes de celle qu'il témoignait à l'égard
de Roland.

Géboin et Lorant, Richard le Vieux, seigneur des Normands[1].
Les païens s'écrient : « Précieuse a son prix. Nous avons là
un défenseur. Frappez, barons! »

252

vers 3473-3480

Il fait beau voir les chevaliers d'Arabie, ceux d'Occian,
d'Argoille et de Bâcle! De leurs épieux comme ils frappent
bien et luttent! Les Français eux n'ont aucun désir de céder.
Des uns et des autres il en tombe beaucoup. Jusqu'au soir
la bataille fait rage. Des barons de France il s'est fait grand
carnage. Et il y en aura de la douleur avant la fin de la
bataille.

253

vers 3481-3507

A l'envi frappent Français et Arabes. Les hampes se brisent
et les épieux fourbis. Qui alors aurait vu ces boucliers mis à
mal, qui aurait ouï ces blancs hauberts retentir, ces boucliers
grincer contre les heaumes, qui eût vu ces chevaliers tomber,
les hommes hurler de douleur et mourir contre terre, il pourrait lui souvenir d'une grande douleur. Cette bataille est
bien dure à soutenir. L'émir invoque Apollon, Tervagant et
Mahomet aussi. « Mes Seigneurs Dieux, je vous ai beaucoup
servis; toutes vos statues je les ferai d'or fin. » Voici venir
un de ses fidèles, Gemalfin[2]. Il lui apporte de mauvaises nouvelles; il les dit : « Baligant, Monseigneur, aujourd'hui vous
apporte un malheur. Vous avez perdu Malpramis votre fils.
Et Canabeus votre frère est tué. Deux Français ont eu le
bonheur de le vaincre; l'un d'eux est l'empereur, je crois.

---

1. Ce Richard ne fait ici qu'une courte apparition. Or, il est le chef de l'*eschele*
normande. Qu'un personnage aussi considérable joue un rôle aussi épisodique
est assez curieux, d'autant que ce personnage est normand. Ce détail a paru suffi-
sant pour faire douter de l'origine normande du trouvère. Celui-ci se soucierait
moins qu'on ne le croit de chanter la gloire de Robert de Normandie; 2. Il a déjà
été question de ce personnage (laisse 201).

QUESTIONS

Sur la laisse 251. — Comparez la description du coup donné par
Baligant à Guinemant à celle du coup donné par Charles (laisse 249).
— Montrez le souci d'équilibre dans la description des combats : l'émir
tuant Guinemant quand Charlemagne a tué Canabeu.

Il est de grande taille : il a bien l'allure d'un chef. Il a la barbe
blanche comme fleur en avril. » L'émir en incline le heaume.
Puis son visage s'assombrit. Il a si grand deuil qu'il pense
mourir sur-le-champ. Il appela Jangleu d'Outre-Mer.

254 vers 3508-3519

L'émir dit : « Jangleu, approchez! Vous êtes preux; votre
savoir est grand. De tout temps j'ai pris votre conseil. Que
vous en semble, des Arabes et des Francs? En cette bataille
aurons-nous la victoire? » Et il répond : « Vous êtes perdu,
Baligant! Vos dieux ne vous protégeront plus. Charles est
farouche, ses guerriers vaillants. Jamais je ne vis une armée
avec plus de mordant. Mais appelez à l'aide les barons
d'Occian, Turcs, Enfruns[1], Arabes et Géants. Ne tardez
pas à faire ce qu'il faut! »

255 vers 3520-3530

L'émir a étalé sa barbe, blanche comme fleur d'aubépine[2].
Quoi qu'il arrive, il ne s'y dérobera pas. Il embouche une
trompette au timbre clair, le son est si clair que ses païens
l'entendirent. Par tout le champ, ses bataillons se rallient.
Ceux d'Occian braient et hennissent. Ceux d'Argoille gla-
pissent comme des chiens. Ils recherchent les Français :
quelle grande folie! Ils rompent de telle façon la mêlée épaisse
et la divisent que, du coup, ils en jettent morts sept mille.

---

1. Peuple inconnu. Il n'a pas été mentionné dans les corps de bataille. Les Géants
sont ceux de Malprose (il en a été déjà question aux laisses 234 et 236; 2. Voir la
note 1 de la page 85.

■ QUESTIONS ■

Sur les laisses 252-253. — Montrez que la laisse 252 constitue une
sorte de pause dans le récit du combat sans interrompre l'action. —
Comment évolue le comportement de Baligant? N'y a-t-il pas ici, exprimé d'une façon plus rapide, un équivalent de ce que Charles a ressen-
ti après Roncevaux? Montrez que le parallèle entre les deux chefs est
continuellement rappelé par des détails dont vous indiquerez la valeur
symbolique.

Sur les laisses 254-255. — Justifiez psychologiquement le désarroi
de l'émir. En quoi la réponse de Jangleu répond-elle davantage aux
sentiments et à l'espoir d'un auditoire français qu'à la vraisemblance
pure? — Pourquoi, *maintenant*, Baligant renonce-t-il à un certain ano-
nymat dans la bataille? Pour quelle raison sonne-t-il de la trompette?
Étudiez le vocabulaire employé pour caractériser la réponse des païens
en signe de ralliement; justifiez-le dans l'esprit de l'auteur.

256

Le comte Ogier[1] ne connut jamais la couardise. Jamais meilleur baron ne vêtit la broigne. Quand il vit plier les corps de bataille des Français, il appela Thierry, le duc d'Argonne, Geoffroy d'Anjou et le comte Jozeran. Là-dessus, avec beaucoup de fierté, il s'adresse à Charles : « Voyez les païens, comme ils tuent vos hommes! Ne plaise à Dieu que votre tête porte la couronne, si vous ne frappez sur l'heure pour venger votre honte! » Il n'est personne qui réponde un seul mot. Ils éperonnent vivement, lancent leurs chevaux; ils vont les férir là où ils les rencontrent.

257

Merveilleusement frappent Charlemagne le roi et Naimes le duc et Ogier le Danois et Geoffroy d'Anjou, qui tenait l'enseigne. Monseigneur Ogier le Danois est prompt entre tous. Il éperonne et lâche la bride. Il va frapper celui qui tenait le dragon : le coup est si violent qu'il renverse les deux sur place, et le dragon et l'enseigne du roi. Baligant voit son gonfanon abattu et l'étendard de Mahomet à terre[2]. Alors l'émir commence à s'apercevoir qu'il a tort et que le droit est pour Charlemagne. Les païens d'Arabie se calment. L'empereur invoque ses Français. « Dites, par Dieu, si vous m'aiderez. » Les Francs répondent : « Mal à propos vous le demanderez! Félon qui n'y frappe de toute sa force! »

---

1. Sur *Ogier le Danois*, voir tome premier, laisse 12, page 33; **2.** La laisse 257 est à rapprocher d'un fragment de la *Gesta Francorum* relatant l'exploit de Robert Courteheuse à la bataille d'Ascalon, lequel tua le porteur de l'étendard de l' « Admiral Babylonie », c'est-à-dire, comme certains l'admettent, du calife fatimide du Caire. *Incomparabilis itaque miles, scilicet Domnus Robertus, comes Normanniae cernens Admiralii standarum habentem quoddam pomum aureum in summitate hastae, quae erat cooperta argento, vehementer ruit super illum qui hunc ferebat, quem viriliter prosternens vulneravit usque ad mortem.* (« Chevalier hors de pair, le sire Robert, comte de Normandie, aperçoit l'étendard de l'Émir avec une manière de pomme d'or au bout de la hampe, laquelle était plaquée d'argent, avec force se précipita sur celui qui le portait, vaillamment il le renversa et il le blessa mortellement. »)

--- **QUESTIONS** ---

SUR LES LAISSES 256-257. — Imaginez les réflexions de Charles à la remarque d'Ogier. L'autorité de l'empereur paraît-elle aussi solide que dans le reste de la *Chanson?* Une telle attitude de la part d'un baron s'adressant à son suzerain pouvait-elle paraître choquante au temps de la féodalité? — Quelle est la portée de l'épisode rapporté à la laisse 257 : montrez la différence entre la réalité immédiate du fait et sa valeur symbolique, voire prophétique (que représente en effet l'*étendard de Mahomet?*). Pourquoi le mouvement de découragement des Arabes est-il justifié? Quelle est la répercussion immédiate du côté français?

258 vers 3560-3578

Le jour passe et fait place à la vesprée. Francs et païens
frappent de leurs épées. Ceux qui ont mis aux prises ces
armées sont des preux l'un et l'autre. Ils n'oublient pas leurs
cris de guerre. L'émir a crié : « Précieuse! » et Charles :
« Monjoie! », la devise fameuse. A leurs voix hautes et
claires ils se sont reconnus. Au milieu du champ, tous deux
se sont rencontrés; ils courent sus l'un à l'autre. Ils se sont
donné de grands coups avec leurs épieux sur leurs boucliers
ornés de rosaces. Ils se sont brisés sur leurs larges boucliers,
ils ont déchiré les pans de leurs hauberts. Mais leurs corps
sont indemnes. Les sangles cassent, les selles se sont retour-
nées. Les rois tombent : les voilà renversés à terre. Vite ils
se sont redressés. Avec grande vaillance, ils ont dégainé
leurs épées. Rien n'empêchera cette lutte désormais; sans
mort d'homme elle ne peut s'achever.

259 vers 3579-3588

Il est très vaillant, Charles de douce France. Il ne craint
l'émir ni ne le redoute. Ils brandissent leurs épées toutes
nues. Sur leurs boucliers ils se donnent de terribles coups.
Ils tranchent les cuirs et les bois qui sont doubles; les clous
tombent; les boucles volent en pièces. Puis ils se frappent
directement sur leurs cuirasses. Des heaumes clairs du feu
jaillit. Cette lutte ne peut cesser tant que l'un n'aura reconnu
son tort.

260 vers 3589-3601

L'émir dit : « Charles, réfléchis bien. Et résous-toi à m'exprimer ton regret. Tu as tué mon fils, je le sais. Sans nul droit
tu me dévastes mon pays. Deviens mon vassal; en fief en
te le remets. Viens me servir d'ici jusqu'en Orient. » Charles

───── QUESTIONS ─────

SUR LA LAISSE 258. — Comment est amenée la scène capitale de cette
bataille? L'attendions-nous? Relevez dans les laisses qui précèdent les
signes qui pouvaient nous la faire prévoir. — Quelle est l'importance de
l'indication donnée au début de la laisse? Comparez-la à la fin de la
laisse 244. — Qu'est-ce qui, dans ce passage, laisse présager un duel à
mort, plus riche en péripéties que les autres combats singuliers?

répond : « Cela me semblerait une grande vilenie. A un païen je ne dois accorder ni paix ni amour. Reçois la loi que Dieu nous a révélée, la loi chrétienne. Sur l'heure, je t'aimerai. Puis sers et reconnais le roi tout-puissant! » Baligant dit : « Tu commences un mauvais sermon! » Puis ils frappent des épées qu'ils ont ceintes.

261

vers 3602-3611

L'émir est d'une force immense; il frappe Charlemagne sur son heaume d'acier bruni; il le lui fend et le lui brise sur la tête : l'épée atteint les cheveux et enlève de la chair un morceau plus grand que la paume de la main : l'os reste là tout à nu. Charles chancelle; peu s'en faut qu'il ne tombe, **mais Dieu ne veut pas qu'il meure ni soit vaincu; saint Gabriel est revenu auprès de lui, et lui demande : « Grand roi, que fais-tu donc ? »**

262

vers 3612-3624

Quand Charles entend la voix sainte de l'ange, il n'a plus peur, il ne craint pas de mourir; la vigueur et les sens lui reviennent. Il frappe l'émir de son épée de France; il lui brise le heaume où brillent des joyaux, il lui tranche la tête d'où s'épand la cervelle, et le visage jusqu'à sa barbe blanche; il l'abat mort sans remède. Il crie « Monjoie! » pour qu'on se rallie à lui. A ce cri accourt le duc Naimes, il prend Tencendor, le grand roi y remonte, les païens s'enfuient, Dieu ne veut pas qu'ils demeurent, et les Français obtiennent enfin le résultat qu'ils désiraient.

───── **QUESTIONS** ─────

Sur les laisses 259-260. — Montrez que la laisse 259 constitue une seconde phase de la lutte entre Charles et Baligant; que la laisse 260 correspond à une pause. — Les paroles échangées entre les deux combattants pouvaient-elles arriver à un autre résultat? Dans quelle mesure les propositions de chacun constituent-elles une sorte de défi injurieux à l'autre? Montrez qu'elles raniment leur ardeur au combat. Autrement, cet échange ne paraîtrait-il pas ridicule?

Sur la laisse 261. — L'intensité du pathétique ici. En quoi la première phrase est-elle destinée à faire tout craindre pour Charles? N'y a-t-il pas cependant une certaine disproportion entre cette force et le résultat obtenu? Qui intervient dès ce moment pour protéger Charles? Le merveilleux n'est-il pas à la fois indispensable et, de ce fait, décevant ici? En quoi le souci d'éprouver Charles avant de lui donner la victoire sauve-t-il ce passage de la déception du lecteur?

263   vers 3625-3632

Les païens fuient, comme le veut le seigneur Dieu; les
Français les poursuivent et, avec eux, l'empereur. Le roi
dit : « Seigneurs, vengez vos deuils, satisfaites vos désirs,
soulagez vos cœurs, car ce matin je vis pleurer vos yeux. »
Les Français répondent : « Sire, il nous faut ainsi faire! »
Chacun frappe les plus grands coups qu'il peut, et des païens
qui se trouvaient là, il s'en échappa fort peu.

264   vers 3633-3647

La chaleur est très grande, la poussière s'élève, les païens
s'enfuient, les Français les pressent, la poursuite dure jusqu'à
Saragosse. Au haut de sa tour est montée Bramimonde;
et avec elle ses clercs et ses chanoines, ceux de la fausse loi
que jamais Dieu n'aima : ils n'ont pas les ordres, ni la ton-
sure. Quand elle voit les Arabes ainsi défaits, elle s'écrie
bien haut : « Mahomet, à notre aide! Ah! noble roi, les
nôtres sont vaincus, et l'émir est tué en grande honte. »
Quand Marsile l'entend, il se tourne vers la muraille, il pleure
et baisse son visage : il est mort de douleur! Et comme il
est accablé de péchés, aux diables vifs il a donné son âme.

265   vers 3648-3667

Les païens sont morts. Quelques-uns fuient. Charles a
gagné sa bataille. De Saragosse il a abattu la porte. Il sait
bien que la ville n'est plus défendue; il s'empare de la cité.
Sa troupe a pénétré. Récompense de la victoire, ils y ont
passé la nuit. Fier est le roi à la barbe chenue. Bramimonde
lui a remis les tours : dix grandes et cinquante menues. Que
tout réussit à qui aime le Seigneur Dieu!

───────── **QUESTIONS** ─────────

SUR LES LAISSES 262-263. — Comment l'action se précipite-t-elle?
Justifiez cette rapidité — par le merveilleux, sur lequel le poète insiste —
par des raisons psychologiques. — Le rétablissement de Charles ne
paraît-il pas un peu prompt pour être *normalement* vraisemblable?
Montrez que la fin de la bataille est très écourtée; pourquoi?

SUR LA LAISSE 264. — Appréciez la mort de Marsile; comparez-la à
celle de Baligant. Les éléments religieux dans cette laisse : naïveté d'expression, valeur. Est-ce le seul domaine où le poète fasse une transposition du domaine des chevaliers chrétiens à celui des Sarrasins ?

266 vers 3668-3674

Le jour passe, la nuit est descendue. La lune est claire et les étoiles scintillent. L'empereur a pris Saragosse. Par mille Français, on fait bien fouiller la ville, les synagogues et les mosquées. Avec des masses de fer et des cognées, on brise les statues et toutes les idoles; il n'y demeurera ni sortilège ni maléfice. Le roi croit en Dieu, il veut faire son service. Ses évêques bénissent les eaux. On mène les païens jusqu'au baptistère. Si maintenant quelqu'un s'oppose à Charles, le roi le fait saisir, brûler ou occire. Plus de cent mille reçoivent le baptême et deviennent vrais chrétiens. Mais non la reine : captive elle sera conduite en douce France; le roi veut qu'elle se convertisse par amour.

LE CHÂTIMENT DE GANELON

OBSÈQUES DE ROLAND, D'OLIVIER ET DE TURPIN

267 vers 3675-3704

Passe la nuit : le jour clair se lève. De Saragosse Charles garnit les tours. Il y laissa mille chevaliers combattants. Ils

QUESTIONS

SUR LES LAISSES 265-266. — Montrez que la laisse 265 est une conclusion rapide en même temps qu'une action de grâces. — Quelle est l'utilité de l'indication donnée au début de la laisse 266? Comparez à la laisse 56 et à la laisse 291. — Quelles préoccupations sont à l'origine de la christianisation forcée de Saragosse? En quoi la mentalité de l'époque diffère-t-elle sur ce point de la mentalité moderne? Que signifie la dernière phrase?

● SUR L'ENSEMBLE DES LAISSES 214 A 266. — La lutte de Charles contre Baligant : les deux protagonistes sont-ils réellement des héros épiques? En quoi représentent-ils surtout des symboles? Quelles dimensions et quel caractère prend alors la *Chanson* ici? Est-ce pourtant un fait totalement nouveau ou le passage au premier plan d'éléments jusqu'ici secondaires?

— Le récit de la bataille : distinguez-en les phases successives; faites le partage entre les éléments traditionnels, ponctués par des expressions types, et les éléments plus originaux. Comparez ce récit à celui de la première bataille (laisses 88-127 et 140-160) : ampleur, composition, péripéties.

— Le merveilleux; ses manifestations; son importance relative, sa liaison avec les faits. N'y a-t-il pas des endroits où son intervention directe nous gêne un peu? Relevez dans tout ce passage ce qui porte la marque des croisades.

gardent la ville pour le service de l'empereur. Le roi monte à cheval ainsi que tous ses guerriers. Il conduit Bramimonde en sa prison ; mais il n'a désir de lui faire que du bien. Ils sont revenus pleins de joie et de fierté. En force ils traversent Narbonne[1], armée irrésistible. Il arrive à Bordeaux, la fière cité. Sur l'autel du baron saint Seurin, il dépose l'olifant rempli d'or et de mangons[2]. Les pèlerins de passage l'y peuvent voir[3]. Il passe la Gironde sur les grands bacs qu'il y voit. Jusqu'à Blaye il a conduit son neveu et Olivier, son noble compagnon, et l'archevêque, qui fut sage et preux. Il fait mettre les seigneurs en de blancs sarcophages à Saint-Romain[4] ; c'est là qu'ils gisent. Les Francs les confient à Dieu et aux anges ses messagers. Par les monts par les vaux Charles chevauche. Avant Aix[5] il ne veut pas s'arrêter. Sa chevauchée s'achève ; au perron, il met pied à terre. Il se trouve dans son palais élevé. Il envoie ses messagers quérir ses juges, Bavarois et Saxons, Lorrains et Frisons. Il mande les Allemands, il mande les Bourguignons et Poitevins, et Normands et Bretons, et ceux de France, les plus sages de tous. Alors commence le plaid de Ganelon.

---

1. Si on consulte les cartes anciennes, on constate l'existence d'un Arbonne près de Saragosse. Est-ce celui dont il s'agit ici ? Le plus vraisemblable est que le poète songe à une autre ville du même nom, située dans la banlieue de Biarritz, aujourd'hui Arbonne ; 2. *Mangons :* voir note 2, laisse 48 ; 3. Le *Guide des pèlerins* (XIIᵉ siècle) confirme l'existence, à Saint-Seurin, de cet olifant d'ivoire au pavillon fendu, relique disparue aujourd'hui ; 4. Ces tombeaux étaient des sarcophages anonymes du VIᵉ siècle. Comment ont-ils pu passer par la suite pour les sépultures de Roland, d'Olivier et de Turpin ? C'est ici qu'est mis en question tout le problème de l'origine de la *Chanson* (voir Notice, page 16) : ou bien le sanctuaire de Blaye, possédant déjà des reliques, était tout indiqué, comme Saint-Seurin à Bordeaux, pour recevoir d'autres restes vénérés — ainsi le poème n'aurait pas créé de cultes, mais le poète aurait utilisé certains cultes et, entre autres, la fameuse route des sanctuaires et des légendes —, ou bien le poème (et en particulier cette laisse 267) a créé la légende, et c'est sur la foi de la *Chanson* que l'on a vénéré à Blaye les « blancs sarcophages » des héros de Roncevaux. Cette dernière hypothèse pourrait se confirmer du fait que le culte de Roland à Blaye n'est attesté qu'à partir du XIIᵉ siècle. En revanche, on pourrait s'étonner que l'affabulation populaire place à Blaye la sépulture de la belle Aude, alors que l'auteur de la *Chanson* la fait enterrer à Aix ; 5. Même anachronisme qu'au début de la *Chanson* (voir laisse 3 et la note). Aix-la-Chapelle ne devint la résidence de Charlemagne qu'après 795.

QUESTIONS

Sur la laisse 267. — Montrez que cette laisse sert de transition : comment se clôt l'épisode précédent ? En quoi l'épisode de Roland trouve-t-il ici sa conclusion ? Quelle partie importante de la *Chanson* va commencer maintenant ?

MORT DE LA BELLE AUDE

268
vers 3705-3722

L'empereur est rentré d'Espagne et il arrive à Aix, le meilleur lieu de France. Il monte au palais, il est entré dans la salle. Voici venue à lui Aude[1], une belle demoiselle. Elle dit au roi : « Où est Roland le capitaine qui me jura de me prendre pour épouse? » Charles en a douleur et peine, il pleure et tire sa barbe blanche : « Sœur, chère amie, c'est d'un mort que tu t'enquières. Je te ferai un échange très précieux. Je veux parler de Louis, je ne sais mieux te dire. Il est mon fils et il tiendra mes marches. » Aude répond : « Cette parole m'est étrange. A Dieu ne plaise, à ses saints, à ses anges, après Roland que je reste vivante! » Elle perd sa couleur, tombe aux pieds de Charlemagne, aussitôt elle est morte. Dieu ait pitié de son âme! Les barons français en pleurent et la plaignent.

269
vers 3723-3733

Aude, la belle, est allée à sa fin; le roi croit qu'elle n'est que pâmée; il a pitié d'elle, et il pleure; il la saisit par les

---

1. Sur la belle *Aude*, voir tome premier, page 29, note 3, et page 93, note 1.

QUESTIONS

Sur les laisses 268-269. — Comment est présentée Aude? L'effet produit par cette extrême sobriété. — Que pensez-vous de ce jugement de Gaston Paris à propos de cette laisse : « On a relevé quelque brutalité dans cette proposition si promptement faite à Aude d'un « échange » pour Roland; elle-même déclare qu'elle lui est « étrange ». L'émotion de Charlemagne lui fait dire trop tôt ce qu'il aurait dû réserver pour un avenir plus ou moins éloigné. Mais ce qui nous paraît ici un peu barbare n'en atteste que mieux la profondeur de l'émotion qui domine le vieil empereur, à la vue de cette jeune fille tombée à ses pieds »? En quoi, politiquement, Louis est-il pour Aude un parti plus « précieux » que Roland? Montrez que ce passage porte bien la marque de son temps. — La douleur de Charles : montrez son approfondissement de la laisse 268 à la laisse 269. Comment s'exprime-t-elle? Soulignez qu'à travers Aude c'est encore Roland qu'il honore. Qu'en conclure en ce qui concerne l'unité du poème? — Au silence de Roland à l'égard d'Aude correspond, au contraire, de la part de celle-ci, une réplique poignante : quels sont les sentiments qu'elle manifeste? Quel effet produit ce contraste? — La mort d'Aude : comparez-la avec la mort d'Iseut. Relevez les passages de *la Chanson de Roland* où se manifeste le thème de la fatalité. L'appel à la miséricorde divine est le seul commentaire : montrez comment ce silence confère au passage un pathétique puissant. Montrez que les honneurs funèbres accordés à Aude contrastent avec le châtiment de Ganelon. En quoi y a-t-il là un élément d'unité?

mains, il la relève, mais sa tête s'incline sur ses épaules
Lorsque Charles voit qu'elle est morte, il fait venir aussitôt
quatre comtesses; on la porte dans un moutier de nonnes,
où elles la veillent toute la nuit, jusqu'à l'aube; puis on
l'enterra magnifiquement au pied d'un autel, que le roi
dota de grands domaines[1].

LE JUGEMENT DE DIEU

270 vers 3734-3741

L'empereur est rentré à Aix, et Ganelon le traître, chargé
de fers, est dans la cité, devant le palais; des serfs l'ont atta-
ché à un poteau, et lui lient les mains avec des courroies
en cuir de cerf; ils le battent vigoureusement à coups de
bâton et de nerf de bœuf; il n'a certes pas mérité mieux, et,
avec grande douleur, il attend là son procès[2].

271 vers 3742-3749

Il est écrit dans la Geste[3] ancienne que Charles manda ses
vassaux de maints pays. Il les réunit à Aix dans sa chapelle.
Solennel est le jour; exceptionnelle, la circonstance. Plusieurs disent que ce fut le jour de la fête du baron saint Syl-
vestre. Alors s'ouvre la session et l'examen de l'affaire Ganelon, coupable de trahison. L'empereur l'a fait amener devant
lui.

---

1. C'était un usage, en effet, de consentir des dons importants à un monastère
où on faisait ensevelir un personnage de marque. Il y avait là une manière de pro-
vision pour les services que les religieux s'engageaient à célébrer pour le repos
de l'âme de la personne qu'on venait d'enterrer. D'ailleurs, il existe une autre
version. Selon Élie de Saint-Gilles, cette scène se serait déroulée à Blaye, et Aude
aurait été couchée à côté de Roland : *Adjacet Alda, sua pulvis conjunctus amico*
(« Aude est couchée à côté de lui. Dans la mort, elle est unie à son ami »). [Élie
de Saint-Gilles avait composé vers le XIIe siècle un poème latin qu'en 1226 un
moine nommé Robert traduisit pour le roi Haakon IV]; 2. Cette scène de torture
est un trait de mœurs de l'époque : la torture est une étape de l'instruction; l'empereur a donc le droit de l'ordonner. Pour mettre Ganelon à mort, il faut l'intervention du « plaid » : ce plaid est une haute cour dont fait partie toute l'aristocratie
de l'Empire; 3. Voir les laisses 111 et 234.

QUESTIONS

SUR LES LAISSES 270-271. — En vous aidant de la note 2, précisez
les étapes de la justice dans le cas de Ganelon. Comment le poète sou-
ligne-t-il indirectement l'importance de l'affaire qui va être examinée?
Indiquez les raisons de cette importance donnée. Pour quel motif le
poète se réfère-t-il à une autorité plus ancienne?

272   vers 3750-3761

« Seigneurs barons, dit Charlemagne le roi, jugez-moi
donc le procès de Ganelon. Il vint dans l'armée jusqu'en
Espagne avec moi. Il m'a ravi vingt mille de mes Francs,
et mon neveu que jamais vous ne reverrez et Olivier le preux
et le courtois : pour de l'argent, il a trahi les douze pairs. »
Ganelon dit : « Que je sois félon si je le nie! Roland me fit
tort en or et en argent[1]. C'est pourquoi je cherchai sa mort
et sa perte. Mais je ne reconnais pas qu'il y ait eu trahison. »

273   vers 3762-3779

Devant le roi, Ganelon est debout, il a le corps vigoureux,
le visage bien coloré; s'il était loyal, il ressemblerait à un
vrai baron. Il voit ceux de France et tous ses juges, et trente
de ses parents qui sont avec lui. Puis il s'écrie, à voix très
haute et très forte : « Pour l'amour de Dieu, écoutez-moi,
barons. Seigneurs, j'étais à l'armée, avec l'empereur, et je
servais en toute foi, tout amour. Roland, son neveu, me prit
en haine, il me condamna à une mort douloureuse. Je fus
envoyé comme messager au roi Marsile : grâce à mon habileté j'ai pu me sauver. Alors, j'ai défié Roland le preux, et
Olivier, et tous leurs compagnons. Charles et ses nobles
barons l'ont entendu. Je me suis vengé, mais je n'ai pas
trahi. » Les Français répondent : « Nous tiendrons conseil. »

---

1. Cette expression, assez obscure, signifie probablement que Ganelon a rendu
à Roland haine pour haine. *L'or et l'argent* évoqués font écho à la dernière phrase
de Charles.

————— QUESTIONS —————

SUR LES LAISSES 272-273. — Analysez l'accusation de Charles :
objectivité dans l'exposé des faits; à l'égard de qui considère-t-il qu'il
y a trahison? En quoi le fait prend-il une importance politique et une
gravité exceptionnelle? — L'attitude de Ganelon : comment se marque
chez lui une certaine grandeur? Relevez les détails marquant sa fierté,
sa raideur. Comparez Ganelon ici et aux prises avec Roland et Charles
(laisses 20 à 26). Sa défense : sur quel plan place-t-il le débat? En quoi
est-ce habile, ici, si l'on tient compte du fait que les guerres privées
étaient alors considérées comme légitimes? Dans sa deuxième réponse,
démêlez ce qui est erreur de jugement (laisse 20), pure vérité (laisse 24),
forte vraisemblance. Ganelon, en définitive, vous paraît-il de mauvaise
foi (au moins dans l'intention) : a-t-il pensé, dans son désir de vengeance,
au préjudice causé à Charlemagne?

274

vers 3780-3792

Quand Ganelon voit que son grand procès commence, il rassemble trente de ses parents. Il en est un dont les paroles sont très écoutées des autres : Pinabel, du château de Sorence. Il sait bien parler et bien juger. Il est vaillant quand il s'agit de défendre ses armes. Ganelon lui dit : « En vous, ami, je me fie. Arrachez-moi aujourd'hui à la mort et à la ruine! » Pinabel dit : « Bientôt vous serez sauvé. S'il est un Français qui juge que vous devez être pendu, que l'empereur nous mette ici aux prises, corps à corps. Avec l'épée d'acier je lui donne le démenti[1]. » Ganelon, le comte, se jette à ses pieds.

275

vers 3793-3806

Bavarois et Saxons sont entrés en conseil, et les Poitevins et les Normands et les Français. Allemands et Thiois sont là en nombre. Ceux d'Auvergne y sont les plus indulgents. En faveur de Pinabel, ils sont tranquilles. L'un dit à l'autre : « C'est bien le cas d'en rester là. Laissons le procès et prions le roi qu'il proclame Ganelon quitte pour cette fois. Il le servira désormais par amour et par foi. Roland est mort. Jamais vous ne le reverrez; ni or ni argent ne nous le rendraient. Bien fou qui combattrait Pinabel! » Il n'en est pas un qui n'approuve ni ne soit conciliant, sauf un seul, Thierry[2], frère du seigneur Geoffroy.

---

1. Pinabel propose ici le duel judiciaire, ou jugement de Dieu : chacun des deux partis désigne un champion qui combat pour lui; le vainqueur — avec l'aide de Dieu, d'où le nom de cette coutume — prouve ainsi le bon droit de celui qu'il défendait. Cet usage était ordinaire à l'époque de la *Chanson*; 2. Thierry : une chanson du XIIIe siècle lui est consacrée. Mais il y figure sous le nom de Gaydon. Dans ce poème, il est le vainqueur de Pinabel, redoutable chef sarrasin, et venge Roland. Ce surnom de Gaydon lui fut donné parce que, comme il tuait Pinabel, un geai se posa sur son casque. Thierry est le frère de Geoffroy d'Anjou, un des plus nobles barons, porte-oriflamme de l'empereur (laisse 225).

--- **QUESTIONS** ---

Sur les laisses 274-276. — Comment Ganelon poursuit-il sa défense? Que lui propose Pinabel? Comparez la réaction de l'accusé, à la fin de la laisse 274, avec la réflexion finale des barons, à la laisse suivante; quelle issue risquerait d'avoir le duel judiciaire? — Appréciez le raisonnement des barons : faites la part de l'indulgence, celle de la peur et celle du bon sens; en quoi l'intervention de Thierry est-elle nécessaire?

276   <small>vers 3807-3814</small>

Vers l'empereur les barons reviennent. Ils disent au roi :
« Sire, nous vous demandons de proclamer le comte Ganelon
quitte. Il vous servira désormais par amour et par foi. Laissez-le
vivre, car il est noble seigneur. Roland est mort. Jamais
nous ne le reverrons. Ni or ni argent ne nous rendraient
Roland. » Le roi dit : « Vous êtes pour moi des félons! »

277   <small>vers 3815-3837</small>

Quand Charles voit que tous lui manquent, de douleur
il baisse et la tête et le visage, tant dans sa peine il se déclare
misérable. Or voici devant lui un chevalier, Thierry, frère de
Geoffroy, duc angevin. Il est mince et fin et svelte. Ses cheveux sont noirs, son visage assez brun. Il n'est guère grand
ni trop petit. Courtoisement, il dit à l'empereur : « Beau sire
roi, ne vous désolez pas ainsi. Vous savez déjà que je vous
ai beaucoup servi. A mes ancêtres je dois le droit de siéger
ici. Quel qu'ait été le tort de Roland envers Ganelon, le fait
qu'il était à votre service eût dû retenir Ganelon. Ganelon
est félon en ce qu'il l'a trahi. Envers vous, il s'est parjuré
et mis dans un mauvais cas. C'est pourquoi j'estime qu'il
doit être pendu et tué; j'estime que son corps doit être dévoré
par les chiens. Ainsi on traite un félon qui a commis une
félonie. S'il a un parent qui veuille m'en donner le démenti,
avec cette épée que j'ai ceinte ici, je veux sur l'heure soutenir
mon jugement. » Les Francs répondent : « Vous avez bien dit. »

278   <small>vers 3838-3849</small>

Devant le roi est venu Pinabel. Il est grand, fort, vaillant,
agile. Celui qu'il frappe d'un coup a bien fini son temps.

<hr/>

QUESTIONS

SUR LA LAISSE 277. — Pourquoi Thierry justifie-t-il le fait qu'il ait
pris la parole? Rapprochez cette attitude de l'adverbe *courtoisement*.
Son argumentation : discute-t-il la querelle de Roland et de Ganelon?
Expliquez cette notion de « service » commandé, qui modifie l'éclairage
des faits. Montrez comment, dès lors, c'est Charles que Ganelon atteint
à travers Roland. — Quelle signification et quelle importance prend la
notion de *parjure* dans une société féodale où le serment est, entre autres,
le fondement des liens de vassalité? — Quelle importance, au point de
vue politique, a eue la trahison de Ganelon? Montrez que cet aspect
n'est pas évoqué ici, puisqu'on se trouve dans une société qui croit à
la supériorité des liens personnels (d'un vassal à son suzerain) sur les
liens de sujet à souverain.

Il dit au roi : « Sire, c'est ici votre plaid. Commandez donc que tout ce bruit cesse. Je vois ici Thierry qui a prononcé un jugement. Je le lui déclare faux : contre lui je combattrai. » Il remet au roi, en son poing, un gant[1] de peau de cerf qu'il portait à sa main droite. L'empereur dit : « Il m'en faut avoir bonnes cautions. » Trente parents s'offrent selon la loi. Le roi dit : « Je m'engage, en donnant caution, à vous les rendre. » Il les fait garder en attendant que justice soit faite[2].

279 vers 3850-3856

Quand Thierry voit qu'il y aura bataille, il a présenté à Charles son gant droit. L'empereur donne caution pour lui. Puis il fait porter quatre bancs sur la place. Là vont s'asseoir ceux qui doivent combattre. Ils se sont assignés judiciairement. Ogier de Danemark a réglé le tout. Puis ils demandent leurs chevaux et leurs armes.

280 vers 3857-3872

Puisqu'ils sont prêts à s'affronter, les deux champions se sont bien confessés : ils ont reçu du prêtre absolution et bénédiction, ont entendu la messe et communié; ils ont donné de grandes offrandes aux moutiers; puis ils sont retournés tous deux vers Charles. Ils ont chaussé leurs éperons, ils revêtent des haubers blancs, forts et légers, lacent sur leurs têtes leurs heaumes clairs, ceignent leurs épées à la garde d'or pur, pendent à leur cou leurs écus à quartiers; ils tiennent en leur poing droit leurs épieux tranchants;

---

1. La remise du gant est un signe d'hommage et de soumission. Pinabel, ici, et Thierry, dans la laisse suivante, accomplissent le même geste; 2. Le sort des otages, comme celui de l'accusé, dépend en effet de l'issue du combat.

--------- **QUESTIONS** ---------

Sur les laisses 278-279. — L'attitude de Pinabel est-elle aussi courtoise que celle de Thierry? Comparez-la à celle de Ganelon (laisses 272 et 273). — Que représente *tout ce bruit?* Cette notation de mouvements de foule, en arrière-plan, est-elle fréquente dans la *Chanson?* — Pourquoi le poète ne s'attarde-t-il pas au geste de Thierry (laisse 279)? Est-il important que Charlemagne donne sa caution à Thierry? Que s'ensuivrait-il si celui-ci était vaincu par Pinabel?

puis ils montent leurs destriers rapides. Alors cent mille chevaliers se mettent à pleurer; ils ont pitié, pour Roland, de Thierry. Dieu sait bien comment tout cela va finir.

281 vers 3873-3883

Au-dessous d'Aix, il est une large prairie; c'est là que vont lutter les deux barons; ce sont des preux et des hommes de grande vaillance, leurs chevaux sont vifs et rapides; ils les éperonnent rudement et lâchent les rênes; avec grande force, chacun va frapper l'autre, leurs écus sont brisés en éclats, les hauberts se déchirent, les sangles des chevaux se rompent, les arçons tournent, les selles tombent à terre. Cent mille hommes, qui les regardent, pleurent.

282 vers 3884-3891

Les deux chevaliers sont à terre. Promptement, ils se relèvent sur leurs pieds. Pinabel est fort, agile et léger. Chacun cherche l'autre, ils n'ont plus de destriers, et, de leurs épées à la garde d'or pur, ils se frappent à coups redoublés sur leurs heaumes d'acier. Les coups sont rudes, et capables de trancher les heaumes. Les chevaliers français sont en grande désolation : « O Dieu, dit Charles, faites resplendir le droit ! »

QUESTIONS

SUR LA LAISSE 280. — Quelle nouvelle valeur prend l'aspect religieux des actes accomplis ici? Pourquoi les champions donnent-ils des offrandes aux monastères? Que symbolisent le blanc et l'or pur dans l'armement des chevaliers? — Pourquoi les chevaliers sont-ils pleins de pitié (reportez-vous aux portraits des antagonistes, laisses 274 et 278 et laisse 275)? Quel sens le poète donne-t-il à la dernière phrase de cette laisse, dont vous montrerez le caractère volontairement ambigu?

SUR LES LAISSES 281-282. — Relevez dans ce passage les détails descriptifs traditionnels; qu'est-ce qui leur donne ici une valeur particulière cependant? — Comment le poète donne-t-il une valeur expressive à la fin de chaque laisse? Quel est le sens profond de la prière de Charles (laisse 282)? La valeur du mot *droit* (voir la laisse 242).

283 vers 3892-3898

Pinabel dit : « Thierry, rends-toi. Je serai ton homme en tout amour et toute foi, et je te donnerai tout ce que tu voudras de mes biens; mais réconcilie Ganelon avec le roi. » Thierry répond : « Je n'y veux pas songer; ce serait félon de ma part d'y consentir. Qu'entre nous deux Dieu décide aujourd'hui! »

284 vers 3899-3914

Thierry dit : « Pinabel, tu es un vrai baron, tu es grand et fort, et ton corps est bien moulé. Tes pairs te connaissent pour ta vaillance; laisse donc ce combat. Je te mettrai d'accord avec Charles. Quant à Ganelon, on lui fera justice de telle manière qu'il n'y aura de jour qu'on n'en parle. — Ne plaise au Seigneur Dieu, répond Pinabel, je veux soutenir toute ma parenté; et je ne m'avouerai vaincu devant aucun homme. Mieux vaut mourir qu'encourir un tel blâme. » Ils recommencent à se frapper mutuellement de leurs épées, sur leurs heaumes ornés d'or et de pierreries; des étincelles en volent jusqu'au ciel; on ne pourrait plus les séparer, le duel ne peut finir que par mort d'homme.

285 vers 3915-3923

Pinabel de Sorence est un vrai preux; il frappe Thierry sur son heaume de Provence; les étincelles en jaillissent, qui enflamment l'herbe; il présente à Thierry la pointe de sa lame d'acier, et lui fend le heaume sur le front; l'épée lui descend jusqu'au milieu du visage, la joue droite en est toute sanglante; il déchire le haubert jusqu'au ventre : mais Dieu le préserve d'être frappé à mort.

───────── **QUESTIONS** ─────────

Sur les laisses 283-284. — Comparez cet échange symétrique de répliques avec celui de Charlemagne et de Baligant (laisse 260). — Cette insistance chez le poète ne semble-t-elle pas traduire un usage suivi à l'époque, ou une tradition fermement établie? Analysez ici le mélange de marques d'estime et de défi. L'acceptation par l'un des combattants lui conserverait-elle l'estime de son adversaire?

Vallée menant au cirque de Gavarnie, ancien lieu d'étape
sur l'itinéraire vers Saint-Jacques-de-Compostelle.

286

Thierry voit qu'il est frappé au visage; le sang coule clair sur l'herbe du pré. Il frappe Pinabel sur son heaume d'acier bruni, et le lui brise et le fend jusqu'au nasal[1], fait jaillir la cervelle de la tête. Thierry secoue la lame dans la plaie et l'abat mort. A ce coup, la bataille est terminée. Les Français s'écrient : « Dieu a fait un miracle. Il est juste que Ganelon soit pendu, et de même ses parents, qui ont répondu pour lui. »

287

Quand Thierry a gagné la bataille, l'empereur Charles arrive et, avec lui, quatre de ses barons, le duc Naimes, Ogier de Danemark, Geoffroy d'Anjou et Guillaume de Blaye; le roi prend Thierry entre ses bras, lui essuie le visage avec ses grandes peaux de martre, puis les jette à terre, et on lui en met d'autres; tout doucement on désarme le chevalier, on le monte sur une mule d'Arabie, et il s'en revient joyeux et noble. On revient à Aix, on descend sur la place, et le supplice de Ganelon et des siens va commencer.

288

Charles s'adresse à ses comtes et à ses ducs. « Que me conseillez-vous au sujet de ceux que j'ai retenus? Ils étaient venus au plaid pour Ganelon. Ils se sont rendus à moi comme

---

1. *Nasal* : voir tome premier, Lexique, page 24.

─────── **QUESTIONS** ───────

Sur les laisses 285-286. — Comment, dans le coup porté par Pinabel, Thierry peut-il avec vraisemblance n'être blessé que superficiellement? Quel détail, précisé par le poète, l'explique? En quoi l'intervention de Dieu est-elle, ici plus qu'ailleurs, justifiée par le caractère du combat? — Quel effet produit, dans la laisse 286, l'absence entre les phrases de tout mot de transition? Le réalisme dans cette fin de combat. — Les réflexions des Français : justifiez-les; en quoi témoignent-elles leur solidarité avec Thierry?

Sur les laisses 287-288. — Relevez toutes les marques d'honneur et d'affection dont Thierry est l'objet après sa victoire. — Comparez la question posée par Charles à son entourage (début de la laisse 288) avec les réflexions spontanées des Français à la fin de la laisse 286 : s'agit-il de sa part de velléité de clémence ou bien de l'obligation qu'a Charlemagne en pareil cas de demander conseil à ses vassaux? — Montrez par la réflexion sentencieuse du poète (fin de la laisse 288) que cet usage cruel est considéré alors comme pleinement justifié en droit. — Les idées morales du Moyen Age féodal sur la « félonie », d'après cet épisode.

otages de Pinabel. » Les Francs répondent : « Il serait mal
à propos qu'aucun d'eux vécût[1]. » Le roi commande à un
sien viguier[2] Basbrun : « Va, et pends-les tous à l'arbre de
bois maudit ! Par cette barbe dont les poils sont chenus,
si un seul en échappe tu es mort et perdu. » Il répond :
« Qu'ai-je autre chose à faire ? » Avec cent sergents, il les
conduit de force. Trente ils étaient qui furent pendus. Qui
trahit perd les autres avec soi.

289

<small>vers 3960-3974</small>

Puis sont repartis Bavarois, Allemands et Poitevins, Bretons et Normands. C'est l'avis de tous que Ganelon meure
d'un terrible supplice. On amène quatre destriers, on lie
aux chevaux les pieds et les mains du traître ; les chevaux
sont ardents et rapides, quatre sergents les poussent vers une
jument qui est au milieu d'un champ. Ganelon va mourir
d'une fin terrible : tous ses nerfs se distendent, et tous ses
membres se détachent de son corps ; sur l'herbe verte coule
le sang clair ; Ganelon est mort comme un félon et un lâche.
Quand un homme en trahit un autre, il n'est pas juste qu'il
puisse s'en vanter.

---

1. Ce trait de cruauté n'avait alors rien que d'ordinaire. Beaucoup d'autres traits
de cruauté, mais sans fondement légal, se rencontrent dans la littérature épique ;
les héros n'en sont pas exempts, ainsi Guillaume d'Orange dans *la Chanson d'Alis-
cans*, et Perceval dans le roman en prose *Perceval le Gallois ;* 2. *Viguier :* à l'époque
féodale, fonctionnaire chargé de représenter la justice royale dans certaines cir-
conscriptions.

--- **QUESTIONS** ---

Sur la laisse 289. — Le châtiment de Ganelon : quelle est l'opinion
du poète sur sa mort et sur sa justice ? Montrez qu'il en tire une leçon
de morale à valeur générale. — Le réalisme dans la description du
supplice.

🔴 Sur l'ensemble des laisses 270 à 289. — Récapitulez les différentes phases du procès de Ganelon. Montrez que cette justice s'harmonise avec la société féodale dépeinte dans la *Chanson*.
— La psychologie des personnages ; Ganelon se dément-il un seul
moment ? Est-il une silhouette, le type du traître ou vous apparaît-il
plus complexe ? Peut-on cependant parler à son propos de caractère
dessiné avec nuance ? En est-il de même pour Charlemagne ?
— Le duel judiciaire : en quoi conserve-t-il un caractère épique ?
Montrez qu'il réunit par la victoire de Thierry des principes moraux
et religieux et des souvenirs de prestige concernant Charles et Roland.
— L'aspect religieux : montrez qu'ici sa présence est encore plus
naturelle qu'en aucun épisode antérieur.

290

Quand l'empereur a accompli sa vengeance, il appelle les évêques de France, ceux de Bavière et ceux d'Allemagne : « J'ai dans mon palais une noble captive; elle a tant entendu de sermons et de bons exemples, qu'elle veut croire à Dieu et demande le baptême : baptisez-la, pour que Dieu ait son âme. — Soit, dirent les évêques, trouvez-lui des marraines[1], des dames nobles et de haute lignée. » Aux bains d'Aix il y a une grande foule : on y baptise la reine d'Espagne; on a trouvé pour elle le nom de Julienne, elle devient chrétienne avec la vraie connaissance de la foi.

291

Quand l'empereur eut fait justice, et que sa grande colère fut apaisée, quand il eut fait baptiser Bramimonde, le jour était passé, la nuit s'était faite noire. Le roi se couche en sa chambre voûtée. Saint Gabriel vient lui dire de la part de Dieu : « Charles, lève les armées de ton empire. Avec toutes tes forces va-t'en dans la terre de Bire[2] secourir le roi Vivien dans Imphe, cette cité que les païens assiègent. Les chrétiens t'appellent et te réclament[3]. » L'empereur

---

1. On pouvait en effet avoir à l'époque plusieurs parrains et marraines, contrairement à l'usage actuel ; 2. *Terre de Bire :* selon H. Grégoire, cette expression désignerait la province d'Épire. *Imphe* serait Nymphaion d'Épire. Or, ce Nymphaion n'est mentionné dans aucun récit de la campagne de Robert Guiscard et de Bohémond ; ce nom aurait servi à désigner Durazzo (l'actuelle Durrës), où, en 1085, les Normands furent assiégés par des Arabes. Hypothèses séduisantes, mais que rien n'est venu confirmer; 3. Après la « geste de Roland » (toute la *Chanson* jusqu'à l'épisode de Baligant), c'est maintenant la « geste de Vivien » qui s'annonce (il ne faut confondre ce Vivien ni avec le frère de Maugis l'Enchanteur ni avec le neveu de Guillaume d'Orange). Il semble donc que notre poète ait désiré donner une composition cyclique. Il amorce maintenant un nouveau poème : après ces deux gestes, il a rêvé d'une épopée se déroulant sur la « terre de Bire ». Mais une main pieuse a indiqué l'endroit précis où s'est arrêté le maître (le dernier vers).

QUESTIONS

Sur la laisse 290. — Quelle est l'utilité de cette laisse? En quoi symbolise-t-elle, d'une autre façon que la victoire sur Baligant, un triomphe du christianisme? Cette victoire ne nous satisfait-elle pas davantage, si l'on tient compte de la mentalité moderne : ce baptême est-il présenté comme forcé (voir aussi laisse 266)? — L'ordre dans lequel se déroulent ce baptême et la vengeance de Charles est-il indifférent? Justifiez celui qu'a adopté le poète.

voudrait bien n'y pas aller : « Dieu! dit le roi, que de peines
en ma vie! » Il pleure des deux yeux, tire sa barbe blanche.
  Ici finit la geste que Turold décline[1].

1. Le dernier vers pose trois problèmes : *a)* Quel sens donner au mot *geste?*
Ce mot peut désigner soit la *Chanson,* soit la version que suit le poète. Il semble
qu'ici, mais ici seulement, on puisse traduire par « histoire », « aventure ». Partout
ailleurs, dans la *Chanson,* le mot a le sens d' « écrit autorisé »; *b)* On peut donner
à l'indicatif présent *declinet* plusieurs sens : *compose,* alors Turold serait l'auteur;
transcrit, alors Turold est un copiste; *déclame,* alors Turold est un jongleur. Et
rien n'empêche de traduire par « décline », « perd ses forces », en comprenant *que*
comme signifiant « parce que », sens très fréquent au XIe siècle; on obtiendrait
ainsi le sens : « Ici finit la *Chanson* parce que Turold est épuisé » (interprétation
Jenkins); *c)* Il est assez vraisemblable que le dernier vers est une manière de signa-
ture et que Turold est l'auteur. Ainsi la *Chanson* serait terminée, mais elle a
une suite. Le dernier vers est une conclusion, mais en même temps une transition.
Il est vraisemblable qu'un nouveau récit reprenait. De ce récit la *Keiserkarl Magnus's
Kronike,* abrégé danois du XVe siècle de la *Karlomagnussaga,* donne un aperçu :
« La nuit suivante (celle qui suit la mort d'Aude), l'ange Gabriel vint à l'empereur et dit : « Va-t'en au pays de Libia et aide le bon roi Iven, car les
païens combattent rudement contre son pays. » Dans la semaine de Pâques, l'empereur rassembla une grande armée à Rome et s'en alla vers le roi Iven. Le roi
païen qui combattait contre lui s'appelait Gealver. Quand il apprit l'arrivée de
l'empereur, il marcha contre lui et combattit, et beaucoup d'hommes tombèrent
des deux côtés. Ogier le Danois frappa sur le casque du roi païen et le pourfendit
jusqu'à la selle. Et l'empereur gagna une grande victoire en ce jour et délivra le
pays du roi Iven. » (Dans ce fragment de la *Kronike,* on peut admettre que *Libia*
représente Bire; *Iven,* Vivien; *Gealver,* Galafre.) *Turold* est à rapprocher d'autres
noms propres : Théroulde, Thouroude, Trou (voir Trouville); c'est un nom normand, qui a été latinisé en *Turoldus.*

─────── **QUESTIONS** ───────

SUR LA LAISSE 291. — Montrez la valeur symbolique de la nuit qui
tombe (première phrase) après le rappel des principaux événements.
— Quel sens peut-on donner aux nouvelles obligations faites par Dieu
à Charles? A ce point de vue, montrez que le merveilleux n'est pas un
moyen commode pour le poète de rendre possibles des exploits extra-
ordinaires, mais un échange d'aide et d'obligations entre Dieu et le
héros. — L'attitude de Charles vous paraît-elle particulièrement
héroïque? En quoi est-elle humainement compréhensible? L'empereur
est-il peu courageux d'ordinaire ou nonchalant? Concluez-en que,
dans cette laisse comme dans l'ensemble de la *Chanson,* l'aspect méca-
nique et parfois schématique tient plus à des clichés verbaux, dont vous
citerez des exemples, qu'à un manque de richesse intellectuelle chez
l'auteur.

DOCUMENTATION THÉMATIQUE
réunie par la Rédaction des Nouveaux Classiques Larousse

1. Peinture des sentiments : l'amour.
2. Les batailles.
3. Le surnaturel.

1. PEINTURE DES SENTIMENTS : L'AMOUR

Alors qu'au XIIᵉ et surtout au XIIIᵉ siècle, avec la littérature courtoise, la femme et l'amour deviennent le sujet principal des romans,
il en est rarement question dans les chansons de geste. Cependant,
à la fin de *la Chanson de Roland,* Aude, la sœur d'Olivier et la
fiancée de Roland, meurt d'amour en apprenant la mort de celui
qu'elle aime. Ce passage, qui prend toute sa force dans sa brièveté,
nous l'avons rapproché d'autres textes illustrant également cet
amour total qui conduit à la mort; il s'agit, tout d'abord, de la
mort de cette même Aude dans *le Roman de Roncevaux :* Charlemagne essaie de lui cacher la vérité en imaginant divers subter-
fuges (comme de lui faire croire qu'il a épousé une Infidèle), puis
il finit par tout lui avouer :

> Damoiselle Aude, si j'osais vous le dire,
> Roland est mort, le grand comte, notre seigneur,
> Et Olivier...
> Damoiselle Aude, on ne peut plus vous le cacher,
> Ils sont tous morts les douze compagnons;
> A Roncevaux, Ganelon les a trahis,
> Et les a vendus au roi Marsille.
> Aude l'entend, ne dit ni oui ni non,
> Se pâme alors dans les bras de Charlemagne.
> Longtemps Aude resta en pamoison,
> Nul homme n'en put tirer une parole,
> Ni clercs ni prêtre lui donner la confession.

Elle demande à voir le corps :

> Dessus Roland se couche la belle Aude;
> Elle pleure et égratigne sa figure;
> Le sang lui court sur la poitrine,
> Qui est plus blanche que n'est fleur d'aubépine.
> Sire Roland, dit Aude la jeune fille,
> Parlez-moi, beau comte de bonne origine,
> Car mon amour est engagé vers vous.

Elle pleure, se lamente, puis un ange descend du ciel et fait parler
Olivier, qui l'appelle; alors, elle se couche et meurt : « Li cuers
li part, l'âme s'en est allée. »

> On analysera cette version du point de vue dramatique. On la
> comparera aux laisses 268-269 de *la Chanson de Roland.*

Dans le Roman de Thomas, Iseut apprend la mort de Tristan :

> Dès qu'Iseut entend la nouvelle, de douleur elle ne peut sonner
> mot. Elle souffre tel deuil de sa mort, qu'elle avance par la
> rue, le manteau dégrafé, et entre devant tous les autres au
> palais. Jamais encore les Bretons n'ont vu femme d'une telle

beauté : par la ville, on se demande avec étonnement d'où elle vient, et qui elle peut être. Iseut s'avance jusque devant le corps ; elle se tourne alors vers l'orient, et, pour lui prie, avec pitié :

« Ami Tristan, puisque vous êtes mort, il est juste que je ne doive pas vivre davantage. Vous êtes mort par amour pour moi, et je meurs, ami, de tendresse pour vous, pour n'avoir pu arriver à temps afin de vous guérir et de vous débarrasser de votre mal. Ami, ami, à cause de votre mort, rien ne pourra jamais m'apporter consolation, ni joie, ni bonheur, ni plaisir. Maudit soit cet orage qui me fit, ami, demeurer si longtemps en mer que je ne pus arriver jusqu'à vous. Si j'étais venue à temps, je vous aurais rendu la vie, et parlé doucement de l'amour, qui nous a unis ; j'aurais plaint notre aventure, notre joie, nos plaisirs, et les peines et la grande douleur qui ont marqué profondément notre amour ; je vous aurais rappelé tout cela en vous baisant et en vous prenant dans mes bras. Si je n'ai pu vous guérir, puissions-nous donc mourir ensemble ! Puisque je n'ai pu arriver à temps, puisque je n'ai su prévenir votre sort, et que la mort m'a devancée, je trouverai la consolation dans le même breuvage. Pour moi, vous avez perdu la vie, et j'agirai en véritable amie : pareillement je veux mourir pour vous. »

Elle le prend dans ses bras et s'étend à son côté, elle lui baise la bouche et le visage, et le tient étroitement enlacé, corps contre corps, bouche contre bouche ; elle rend alors l'esprit et meurt ainsi, auprès de lui, pour la douleur d'avoir perdu son ami. Tristan est mort à cause de son désir, Iseut parce qu'elle ne put arriver à temps ; Tristan mourut par amour, et la belle Iseut par tendresse.

Dans *Erec et Enide*, de Chrétien de Troyes, voici la réaction d'Enide face à Erec qu'elle croit mort :

Quand Enide le voit sur le sol, elle commence à mener grand deuil : il lui coûte d'être encore en vie et elle court vers Erec sans chercher à dissimuler son désespoir ; tout en poussant des cris elle se tord les poignets ; elle déchire entièrement sa robe devant sa poitrine, se met à arracher ses cheveux et à égratigner son visage délicat :

« Ah Dieu, fait-elle, beau doux sire, pourquoi me laisses-tu vivre si longtemps ? Mort, tue-moi donc, je t'en donne licence. »

A ces mots, elle tombe pâmée sur le corps de son mari ; quand elle reprend connaissance, elle s'assied auprès de son seigneur dont elle pose la tête sur ses genoux, et reprend sa lamentation « Hélas ! sire, comme tu as été malchanceux ! Dieu ! que ferai-je ? Pourquoi vivre si longtemps ? Pourquoi la mort tarde-t-elle ? Qu'attend-elle pour me prendre sans nul répit ? »

> On étudiera la poétique de ces textes. Peut-on parler de « mer-
> veilleux » dans la description des sentiments amoureux ? En
> quoi cela révèle-t-il un aspect de la psychologie de la société
> au Moyen Age ? Quels caractères fondamentaux de la psycho-
> logie y découvre-t-on ?
> On comparera cette étude avec le texte de Shakespeare qui
> suit :

Dans *Roméo et Juliette,* Juliette se réveillant, et apercevant Roméo
mort à ses côtés, chasse le frère qui la veillait et s'écrie :

> Qu'est-ce là ? Une coupe est serrée dans la main de mon cher
> amour. Le poison fut, je vois, sa fin prématurée. Avare, tu as
> tout bu, et tu n'as pas laissé même une goutte amie pour me
> venir en aide après ; je veux baiser tes lèvres ; un peu de
> poison peut-être y est-il encore suspendu pour me faire mourir
> en me ranimant ; tes lèvres sont chaudes. Ah ! le bruit ? Alors
> il faut faire vite ; toi, poignard chéri, c'est ici ton fourreau ;
> repose, laisse-moi mourir.

Et elle tombe morte sur le corps de Roméo.

2. LES BATAILLES

Dans les chansons de geste, ou épopées, les batailles sont nombreuses : elles forment à la fois le sujet et le moteur de l'œuvre.
Dans *la Chanson de Roland,* à de longs combats sanglants suc-
cèdent de courtes accalmies, puis tout reprend ; et même à la fin,
lors que tout semble terminé, on entrevoit d'autres batailles à
l'infini.

> On s'attachera surtout à deux points importants dans cette étude
> des batailles ; tout d'abord, au point de vue purement littéraire,
> il faudra souligner l'art de la description, en pensant que toute
> épopée était faite d'abord pour être lue ou chantée devant un
> auditoire important, donc frapper les imaginations et attirer
> l'attention : on relèvera donc tous les moyens employés pour
> atteindre ce but. Ensuite, on cherchera quelles précisions ces
> combats nous apportent sur les mœurs du Moyen Age, sur le
> niveau de civilisation de l'époque.

Les textes suivants permettront de déterminer quelles sont les
originalités de *la Chanson de Roland,* ou, au contraire, en quoi
elle obéit à des règles très anciennes, en usant de traits particuliers
du style dit « épique ». Voici, par exemple, un extrait de *l'Iliade;*
c'est le premier affrontement entre Grecs et Troyens ; comparer
avec le premier combat de Roncevaux :

> Comme le flot de la mer roule avec rapidité vers le rivage,
> poussé par Zéphir, et se gonflant d'abord sur la haute mer, se

brise violemment contre terre, et se hérisse autour des pro
montoires en vomissant l'écume de la mer; de même les pha
langes pressées des Danaens se ruaient au combat. Et chaqu
chef donnait ses ordres et le reste marchait en silence. On eû
dit une grande multitude muette, pleine de respect pour se
chefs. Et les armes brillantes resplendissaient tandis qu'il
marchaient en ordre. Mais, tels que les nombreuses brebis d'un
homme riche, et qui bêlent sans cesse à la voix des agneau
tandis qu'on trait leur lait blanc dans l'étable, les Troyen
poussaient des cris confus et tumultueux de tous les point
de la vaste armée. Et leurs cris étaient poussés en beaucou
de langues diverses, par des hommes venus d'un grand nombr
de pays lointains. Et Arès excitait les uns, et Athénée aux yeu
clairs excitait les autres, et partout allaient la Crainte et l
Terreur, et la furieuse et insatiable Eris, sœur et compagn
d'Arès, tueur d'hommes, et qui, d'abord, est faible, et qu
les pieds sur la terre, porte bientôt sa tête dans l'Ouranos. E
elle avançait, à travers la foule, éveillant la haine et multi
pliant les gémissements des hommes.

Et quand ils se furent rencontrés, ils mêlèrent leurs bouclier
leurs piques et la force des hommes aux cuirasses d'airain
et les boucliers bombés se heurtèrent et un vaste tumult
retentit. Et on entendait les cris de victoire et les hurlement
des hommes qui renversaient ou étaient renversés, et le san
inondait la terre. Comme des fleuves, gonflés par l'hiver
tombent du haut des montagnes, et mêlent leurs eaux furieuse
dans la vallée qu'ils creusent profondément, et dont un berge
entend de loin le fracas, de même le tumulte des homme
confondus roulait.

Que pensez-vous de ces diverses comparaisons? Trouve-t-o
ces figures de style dans *la Chanson de Roland*? Après la des
cription générale de la mêlée, le narrateur détache des indiv
dualités; qu'apporte au récit ce procédé, très souvent employé

Et le premier, Antilokhos tua Ekhépolos, courageux Troye
brave entre tous ceux qui combattaient en avant. Et il le frapp
au casque couvert de crins épais, et il perça le front, et la point
d'airain entra dans l'os. Et le Troyen tomba comme une tou
dans le rude combat. Et le roi Elephenor, prince des magna
nimes Abantes, le prit par les pieds pour le traîner à l'ab
des traits et le dépouiller de ses armes; mais sa tentative fu
brève, car le magnanime Agenor, l'ayant vu traîner le cadavr
le perça au côté, d'une pique d'airain, sous le bouclier, tand
qu'il se courbait, et le tua. Et sur lui se rua un combat furieu
de Troyens et d'Akhaiens; et, comme des loups, ils se jetaie
les uns sur les autres, et chaque guerrier en renversait un autr

{ Il serait bon de souligner l'importance de cette dernière phrase,
{ et de trouver des exemples dans la *Chanson* de ce côté indi-
{ vidualiste dans les mêlées les plus acharnées.

Les deux textes suivants sont tous les deux satiriques ; ils carica-
turent ces combats médiévaux, en accentuant jusqu'à l'énorme les
« tics » de ces récits.

Dans la branche XI du *Roman de Renart,* Renart est « général »
de l'armée du roi Noble ; il est à la tête de ses troupes pour défendre
le royaume attaqué par les « païens », en l'occurrence une armée
d'animaux exotiques conduite par un chameau. L'affrontement a
bientôt lieu :

> Alors, ils se mettent à chevaucher. Les ennemis ne se doutaient
> de rien, quand Couard, le lièvre, est tombé sur eux. Il fait
> un grand nombre de prisonniers, car ils étaient tous désarmés.
> Les ennemis poussent leur cri de ralliement ; ils courent aux
> armes ; maintenant voilà Couard en vilaine posture ; mais Tié-
> celin, le corbeau, survient, qui hautement l'a secouru. Alors,
> ce fut une farouche mêlée. Tiécelin tenait au poing son épée,
> dont la lame était claire et tranchante. Il frappe un scorpion
> et lui tranche la tête et les pieds. Le chameau en fut fort irrité :
> il fonce droit sur Tiécelin, et jure, par Dieu qui est là-haut,
> qu'il s'est pour son malheur lancé sur le scorpion. Alors, il
> l'a si durement frappé de sa patte qu'il l'abat, renversé à terre.
> Tiécelin voyait sa fin venue, quand, entre eux, se jette Belin,
> le mouton, qui arrivait à toute allure. Il heurte si fort deux
> « sarrasins », qu'il leur fait voler les yeux. Le chameau ne le
> prend pas en riant, mais en est fort ennuyé, sachez-le. Belin
> s'est relancé, comme un fou : il en écervelle un autre. Il en tue
> trois en peu de temps. Néanmoins, il ne pouvait s'en tirer
> vivant, sans rémission, quand Brun, l'ours, vint, éperonnant,
> et avec cent barons qui haïssaient à mort les scorpions. Ils se
> lancent dans la mêlée, brûlant de bien frapper ; ils en tuent,
> ils se massacrent, par milliers. Pour faire bref, les ennemis
> auraient été vaincus et réduits à se rendre, quand, d'un val,
> débouchent plus de mille scorpions. De l'autre côté, Chante-
> clerc et tous ses barons arrivent en renfort. Ce furent de grands
> cris, de grandes clameurs, des guerriers abattus, et des blessés.

Et après la mêlée générale, un combat singulier, entre deux des
plus braves chevaliers :

> Le Buffle vient premièrement, et frappe Chanteclerc très dure-
> ment de sa lance, avec tant de force qu'il brise l'écu. Mais le
> haubert fut solide, si bien qu'il ne put aller plus loin. La lance
> vole en deux moitiés. Chanteclerc, qui se tenait prêt à frapper,
> l'a heurté violemment. De sa grande lance, roidement, il le
> frappe au milieu du corps, si fortement que la pointe lui res-
> sort dans le dos ; il se renverse, mort, de son cheval, et ne lui

fit plus jamais de mal. Puis il a tiré son épée, et se replonge dans la mêlée...

  { Relever tous les détails, humoristiques ici, mais que l'on
  { retrouve, tels des lieux communs, dans *la Chanson de Roland*.

Ce qui n'était que caricature devient pamphlet contre la guerre chez Rabelais, dans la guerre picrocholine du *Gargantua*. Avant le premier extrait, des bergers de Gargantua ont voulu acheter des fouaces aux fouaciers de Picrochole, qui les ont insultés et ont repoussé leur offre, tout d'abord en paroles puis en gestes. (Voir *Gargantua* [Nouveaux Classiques Larousse], chap. xxv, pages 61-62, lignes 45-61.)

Voici l'entrée en guerre de frère Jean des Entommeures :

> Es uns écrabouillait la cervelle, ès autres rompait bras et jambes, ès autres délochait les spondyles du col, ès autres démoulait les reins, avalait le nez, pochait les yeux, fendait les mandibules, enfonçait les omoplates, sphacelait les grèves, dégondait les ischies, débezillait les faucilles...

Au XIIIᵉ siècle, dans les romans de la Table ronde, les batailles deviennent, pourrait-on dire, plus « humaines ». Les tournois l'emportent sur les tueries spectaculaires, et même dans les duels l'important n'est pas de tuer l'adversaire, mais plutôt de le vaincre et d'en faire son vassal. Dans cet extrait de *Erec et Enide,* Erec combat un chevalier qu'il a rencontré sur sa route et qui veut l'empêcher de continuer :

> Les deux chevaliers s'éloignent l'un de l'autre de plus d'un arpent, et ils éperonnent leurs chevaux pour engager le combat. Ils s'attaquent avec le fer de leurs lances et se heurtent avec une telle violence que les écus sont percés et défoncés, que les bois des lances se brisent et volent en éclats et que, finalement, les arçons sont mis en pièces. Il leur faut vider les étriers : tous deux bondissent sur le sol et les chevaux s'enfuient à travers la campagne. Mais ils ont tôt fait de se remettre sur pied. Ils n'avaient pas fait mauvais emploi de leurs lances : ils tirent leurs épées du fourreau, essaient farouchement de se frapper avec le tranchant, échangent de grands coups ; les heaumes se brisent et résonnent. Terrible est le combat des épées ; ils se frappent violemment sur le col, car ils n'épargnent en rien leur peine, ils disloquent tout ce qu'ils atteignent, tranchent les écus, faussent les haubers ; le fer est rouge de sang vermeil. La bataille dure longuement ; ils se frappent à coups si redoublés qu'ils sont tout épuisés et que leur vigueur faiblit. [...] A ce premier assaut, si Erec ne s'était pas bien mis en garde, le chevalier l'aurait blessé ; alors le chevalier le frappe à découvert, au-dessus de l'écu, si bien qu'il tranche une partie du heaume au ras de la coiffe blanche ; l'épée en descendant fend l'écu jusqu'à la boucle, et tranche, sur le

côté, plus d'un empan de haubert. Erec aurait dû être mis à mal : l'acier froid pénétra sur la hanche jusqu'à la chair. [...] Très hardiment, il l'attaque et le frappe le long de l'épaule ; il lui assène un tel coup que l'écu ne résiste pas et que le haubert ne peut retenir l'épée de pénétrer jusqu'à la ceinture.

Comme on peut le voir, la force des chevaliers est toujours surprenante ! Mais le sang coule plus discrètement.

On pourra relever toutes les différences qui existent entre les divers textes précédents et celui qui va suivre : quand Antoine de La Sale décrit une bataille dans *le Petit Jehan de Saintré,* ne s'agit-il pas de l'affrontement de deux masses plutôt que de « sport », de prouesses individuelles ?

Lors les Français, criant à haute voix : « Jésus ! Notre-Dame ! Montjoie ! Saint-Denis ! », la bannière du roi s'avança, et toutes les autres la suivirent. [...] Alors commença la bataille, très dure et très forte. [...] Alors vous auriez vu les gens et les chevaux tomber et trébucher les uns sur les autres, et de toutes parts crier que c'était chose merveilleuse. Mais quand le seigneur de Saintré se vit sans sa lance, incontinent il mit la main à l'épée, et frappa à gauche et à droite, si bien qu'il n'y avait pas de Turc qui ne lui fit place. Et quand il voulut joindre la bannière, il fut de toutes parts assailli, si bien que, s'il n'avait pas eu l'aide de Dieu, et s'il n'avait pas été vite secouru, il serait mort sans aucun doute. Mais la bannière du roi qui partout le suivait, à l'aide des bons et vaillants français et des autres qui la conduisaient et faisaient de merveilleuses armes, donnèrent de fortes affaires aux ennemis, et de les nommer serait très longue chose et de décliner leurs prouesses ;

Nous sommes loin des descriptions détaillées de *la Chanson de Roland.*
Nous terminerons ce chapitre par une rapide énumération des diverses parties de l'armement du chevalier. Comme nous l'avons vu plus haut, les batailles étaient plus de combats singuliers en série qu'une action d'ensemble ; la victoire allait donc aux bras vigoureux, et on a vu se perfectionner deux sortes d'armes : les armes défensives et les armes à main.
Pierre Larousse, dans le *Grand Dictionnaire du XIXᵉ siècle,* écrit :

Alors, parut cette armure, ou plutôt cette prison de fer, qui enveloppa le guerrier depuis les pieds jusqu'à la tête, et qui le rendait à peu près invulnérable. Ces armures étaient arrivées à un degré de perfection tel qu'il était presque impossible à l'assaillant de trouver le défaut de la cuirasse.

Cette cuirasse était composée, vers le XIᵉ siècle, d'un haubert et d'un heaume ; le haubert, appelé aussi « grand haubert » ou « blanc haubert », est une armure complète que les chevaliers avaient seuls

le droit de porter. Elle se composait d'une tunique longue à manches
(appelée antérieurement « broigne ») allant jusqu'au bout des
doigts, enveloppant la main dans une espèce de sac en mailles d'où
sortait le pouce, armé de la même manière, et d'une coiffe de mailles
sur laquelle se mettait le heaume. Ce heaume est un casque à peu
près cylindrique, employé dès le XIᵉ siècle et surtout au XIIᵉ pour
remplacer le casque conique des Normands; c'est une robuste
armure qui cachait la chevelure courte des chevaliers, et dont le
bord inférieur s'ajustait au collet de mailles, ou se laçait au haubert.
Le grand art de l'écuyer de suite était d'assembler sans interstices
toutes les pièces aux pièces environnantes au moyen de vis, bou-
lons, crochets...

Cet armement défensif était complété d'un bouclier ou écu dont
la forme et la taille ont été très variables au cours du Moyen Age.
L'armement à main du chevalier était simple : une hache ou une
masse d'armes, une lance ou un épieu (sorte de pique dont le fer,
large et épais et en forme de fougère, était fixé à une hampe très
forte, mais plus courte que celle de la lance) et surtout une épée;
cette épée était généralement une épée à deux mains, à la lame
longue et large, à deux tranchants, et dont la poignée était riche-
ment ornée (en or dans *la Chanson de Roland*). Ces épées ont un
rôle important dans toutes les épopées et romans de chevalerie :
dans les *Gesta Francorum*, on dit que l'on enrôlait les hommes
dès qu'ils avaient atteint la hauteur des épées; les épées des héros
sont aussi connues que leurs propriétaires, et elles sont souvent
magiques, telles Durendal, épée de Roland, Hauteclaire inséparable
d'Olivier, la Joyeuse de Charlemagne, ou Escalibur du roi Arthur,
ou encore Courtin d'Ogier. L'épée, comme le cheval, font partie
intégrante du chevalier; dans *Erec et Enide*, un vavasseur offre un
armement à Erec, qui répond :

> Merci à vous, beau doux sire, mais je ne cherche pas de meil-
> leure épée que celle que j'ai apportée, ni cheval autre que le
> mien.

} Comparez avec l'attitude de Roland, ou à celle d'Arthur
} mourant.

Voici comment se vêt un chevalier du XIIIᵉ siècle, Erec :

> Erec était impatient d'engager le combat; il demande ses
> armes et on les lui donne : la jeune fille elle-même l'arme.
> Elle lui lace les chaussures de fer, et les coud avec une lanière
> en cuir de cerf; elle lui endosse un haubert de bonnes mailles
> et lui lace la ventaille, lui met sur la tête le heaume brun; elle
> l'arme de son mieux, de pied en cap, et lui ceint l'épée au côté.
> Puis il commande qu'on lui amène son cheval, et on le lui
> amène : il l'enfourche d'un bond; la jeune fille apporte l'écu
> et la lance qui était roide; elle lui tend l'écu, il le prend et

le suspend à son cou par la guiche ; puis elle lui met la lance
au poing : il la saisit près du talon.

} Comparez, par exemple, avec la fameuse tapisserie de Bayeux,
} qui est à peu près contemporaine de la *Chanson*.

3. LE SURNATUREL

Il y a dans *la Chanson de Roland* un entrelacement de thèmes,
venant soit de la Bible, soit du monde de la mythologie ; mais
la *Chanson* reste entièrement chrétienne : on ne trouve, par
exemple, en aucun cas de passages évoquant le merveilleux, comme
ce sera la règle dans les romans dits « bretons ». Ainsi, dans *Huon
de Bordeaux,* la rencontre de Huon et du nain Obéron :

Pendant qu'ils parlaient ainsi, un petit homme vint par le bois
touffu ; il était tel que je vais vous dire : aussi beau que soleil
en été, vêtu d'un manteau brodé orné de trente bandes d'or
pur et lacé sur les côtés avec des fils de soie. Il portait un arc
dont il savait se servir : la corde en était de soie naturelle,
et la flèche aussi était d'un grand prix. Dieu ne fit aucune bête
de si grand pouvoir qu'il ne puisse, si cela lui plaît, la prendre
à volonté. Il avait au cou un cor d'ivoire clair, cerclé de bandes
d'or, ouvrage des fées dans une île de la mer. L'une d'elles
fit à Obéron ce don : qui entend le cor retentir et sonner, s'il
est malade, recouvre la santé aussitôt, il n'aura plus si grande
infirmité ! Une autre fée lui donna mieux encore : qui entend
le cor, sans mentir, s'il a faim, est tout rassasié, et s'il a soif,
est tout désaltéré ! La troisième fée lui donna mieux encore :
il n'est pas un homme, si malheureux soit-il, s'il entend le cor
retentir et sonner, qui, au son du cor, ne se mette à chanter !
La quatrième fée voulut mieux encore le doter quand elle lui donna
ce que je vais vous dire : il n'y a marche, ni pays, ni royaume,
jusqu'à l'Arbre-Sec, ni par-delà la mer, si l'on fait sonner et
retentir le cor, qu'Obéron ne l'entende, à Monmur sa cité. Le
petit homme se mit à sonner, et les quatorze commencent à
chanter : « Ah ! Dieu ! dit Huon, qui vient nous visiter ? Je ne
sens ni faim ni souffrance. — C'est le nain bossu, dit Géraume,
par Dieu, je vous prie, sire, ne lui parlez pas, si vous ne voulez
demeurer avec lui. — Non, dit Huon, avec l'aide de Dieu. »
Voici donc le petit bossu qui se mit à leur crier d'une voix forte :
« Holà ! Les quatorze hommes qui traversez mon bois, salut,
au nom du roi du monde ! Je vous conjure, par le Dieu de
majesté, par l'huile et le saint chrême, par le baptême et par
le sel, par tout ce que Dieu a établi et fait, je vous conjure
de me saluer ». Mais les quatorze ont pris la fuite. Le petit
homme en fut très irrité ; d'un de ses doigts, il a heurté le cor :
une tempête s'élève, accompagnée d'un orage. Il fallait voir

pleuvoir et venter, les arbres se briser et se rompre en éclats, les bêtes fuir (elles ne savent où aller) et les oiseaux parmi les bois voler ! Pas un homme créé par Dieu qui ne soit épouvanté.

En ce qui concerne les présages, il s'agit d'un procédé très usité aussi bien dans la Bible que dans l'Antiquité romaine; ainsi dans saint Luc et saint Matthieu, l'annonce de la mort du Christ s'accompagne de divers phénomènes :

Il était déjà environ la sixième heure, et il y eut des ténèbres sur toute terre, jusqu'à la neuvième heure. Le soleil s'obscurcit et le voile du temple se déchira par le milieu.

Et :

Et voici, le voile se déchira en deux, depuis le haut jusqu'en bas, la terre trembla, les sépulcres s'ouvrirent, et plusieurs corps de saints qui étaient morts ressuscitèrent.

Dans *les Géorgiques,* Virgile rappelle ce qui s'est passé avant la mort de César :

Qui pourrait accuser le soleil d'imposture ? Souvent même il nous avertit de la menace d'obscurs tumultes et des guerres qui se fomentent sourdement. Quand César eut péri, il prit aussi part au malheur de Rome; il couvrit son front lumineux d'une sombre rouille et le siècle impie redouta une éternelle nuit. Alors, il est vrai, et la terre et les plaines de la mer, et les chiens sinistres, et les cris importuns des oiseaux funèbres donnaient des signes. Combien de fois nous vîmes l'Etna, vomissant le feu de ses fourneaux entrouverts, inonder de sa lave bouillonnante les campagnes des cyclopes, et lancer des tourbillons de flammes et des rocs liquéfiés. La Germanie entendit de toutes parts un bruit d'armes dans tout l'espace du ciel; les Alpes éprouvèrent des tremblements jusqu'alors inconnus; partout dans le silence des bois sacrés, une voix tonnante se fit entendre, de pâles et hideux fantômes se firent voir à l'entrée de la nuit, et, comble d'horreur, les bêtes parlèrent. Les rivières suspendirent leur cours, la terre s'entrouvre; dans les temples, l'ivoire pleure de tristesse, et le bronze sue. L'Eridan, ce roi des fleuves, roule dans ses fols tourbillons les forêts, et emporte à travers la campagne les étables avec les troupeaux. Dans le même temps, des fibres menaçantes apparaissent dans les entrailles maléfiques, le sang ne cesse de couler des puits, et les villes retentissent, la nuit, des hurlements des loups. Jamais la foudre ne tomba plus fréquemment dans un temps serein; jamais ne flamboyèrent tant de sinistres comètes.

Mais le plus intéressant exemple est une citation d'Eginhard, dans sa *Vita Karoli,* qui nous dit rapporter la vérité, et parler de ce qu'il a vu lui-même :

De nombreux présages avaient marqué l'approche de sa fin, ne laissant aucun doute à personne — à lui-même pas plus qu'à nul autre — sur l'imminence de l'instant décisif. Trois ans de suite, dans les derniers temps de sa vie, il y eut de fréquentes éclipses de soleil et de lune. Sept jours durant, on remarqua dans le soleil une tache de couleur noire. [...] Charles fut lui-même victime d'un accident significatif au cours de sa dernière expédition en Saxe.

Un jour qu'il avait quitté le camp et s'était mis en route avant le lever du soleil, il vit soudain une torche éblouissante descendre miraculeusement d'un ciel serein et traverser l'air de droite à gauche. Et comme l'on se demandait ce que présageait ce phénomène, le cheval qu'il montait baissa brusquement la tête et tomba en le précipitant à terre avec une telle violence que la fibule de son manteau se rompit, et que le baudrier de son glaive fut arraché. [...] A cela vinrent s'ajouter de fréquentes secousses qui ébranlèrent le palais d'Aix et des craquements continuels dans les plafonds des pièces où il se tenait. Puis la foudre tomba sur la basilique où il fut plus tard enseveli, arrachant la pomme d'or qui surmontait le toit.

Au sujet de ces divers phénomènes, M. Gaillard écrit dans son *Histoire de Charlemagne* :

Lorsque Charlemagne et Louis le Débonnaire s'étaient séparés après le couronnement de ce dernier, on avait remarqué que leurs embrassements avaient été mêlés de beaucoup de larmes; cet attendrissement si marqué avait été mis au nombre des présages de la mort de Charlemagne. Le peuple ne croit pas que les grands hommes et les grands rois puissent mourir, sans que l'ordre des événements soit troublé, sans que des signes célestes annoncent cet événement. On renouvela pour Charlemagne l'histoire de tous les prétendus prodiges dont on veut que la mort de César ait été précédée, accompagnée et suivie. « Ces prodiges, dit Mézerai, en parlant de ceux qui concernent Charlemagne, furent capables d'étonner ceux mêmes qui n'y ajoutent point foi. On changeait tout en présage. Mais le présage le plus funeste était que ce corps si vigoureux connaissait enfin les infirmités, fruit des fatigues et des guerres continuelles. »

Suivent les indications déjà notées par Eginhard, puis :

On le voyait décliner, et le peuple, qui croit le ciel sans cesse occupé à présager les malheurs de la Terre, s'en prenait aux astres et surtout aux éclipses, dont il ne connaissait pas les causes aussi bien que Charlemagne, et qui faisaient trembler même l'astronome Louis le Débonnaire lui-même. On les trouvait plus fréquentes depuis que Charlemagne n'était plus jeune, parce qu'on les remarquait davantage. [...] L'archevêque de Reims, Turpin, prétendit avoir eu, en disant la messe, une révélation formelle de la mort prochaine de l'empereur ; du moins le faux Turpin le lui fait dire dans la chronique qu'il a mise sous son nom.

Mais c'est un fait constant : dans tous les récits où apparaît Charlemagne, des événements surnaturels interviennent. A. d'Avril note :

Il y a une circonstance à signaler, et c'est celle qui grandit le plus Charlemagne. Je veux parler de la protection directe de la Providence. Dieu renouvelle le miracle de Josué pour laisser le temps d'achever la destruction de l'armée de Marsile. Dans un combat contre Baligant, il allait périr, si Dieu n'eût détourné le coup. Il reçoit des songes ; un ange veille sur lui ; Dieu l'aime. La protection de Dieu lui donne presque un caractère sacré.

Que pensez-vous de cette opinion ? Voyez si elle s'applique à *la Chanson de Roland*.

Aux présages s'ajoutent songes et apparitions : Louis de Musset rappelle dans *la Légende de bienheureux Roland* :

Charlemagne avait vaincu les Saxons, conquis toute l'Angleterre, porté secours au pape et à l'empereur de Constantinople, délivré Jérusalem de la servitude des Sarrasins, et remporté de grands avantages sur ces mêmes Sarrasins en Espagne, lorsque se promenant pendant la nuit dans sa chambre, et « considérant une grande voie blanche qui apparaît au ciel entre les étoiles, tirant des marches de France vers l'Espagne et la Galice, il aperçut en l'air un homme de moult belle et vénérable stature ». C'était saint Jacques. [...] L'apôtre représenta à l'empereur qu'on était « molt émerveillé qu'il n'eût pas encore conquis la terre de Galice : C'est dans cette terre que mon corps gît, inconnu, et sans être révéré. Le signe qui t'apparaît au ciel, et que les tiens y verront jusqu'à la fin des siècles, te montre le chemin que tu dois suivre si, docile aux ordres de Dieu, tu prends la généreuse résolution d'expulser les Sarrasins, et d'offrir aux chrétiens des moyens sûrs et faciles pour venir visiter mon corps et mon sépulcre. »

Ce texte peut être rapproché de cet extrait de la *Jeanne d'Arc* de Schiller :

Doux théâtre de mes joies paisibles, je vous quitte pour toujours ; agneaux, dispersez-vous sur la bruyère, vous êtes à présent sans bergère. Je vais guider un autre troupeau, à travers les périls, sur les champs ensanglantés. Ainsi l'ordonne la voix de l'esprit ; ce n'est pas un vain, un terrestre désir qui m'entraîne. Car celui qui descendit sur les hauteurs de l'Horeb pour apparaître aux yeux de Moïse dans le buisson ardent, et lui ordonner de se présenter devant Pharaon ; celui qui jadis choisit

pour combattant ce berger, ce pieux enfant d'Isaïe, celui qui
s'est toujours montré favorable aux bergers, celui-là m'a parlé
à travers les branches de l'arbre, et m'a dit : « Va, tu dois rendre
pour moi témoignage sur la terre. Tu enfermeras tes membres
dans le dur airain ; tu couvriras d'acier ta poitrine délicate ;
jamais l'amour de l'homme, jamais les vains plaisirs d'une
flamme coupable ne doivent toucher ton cœur. Jamais la couronne de fiancée ne parera ta chevelure, et nul doux enfant
ne s'épanouira sur ton sein [...]. » Le ciel m'appelle par un
signe : il m'envoie ce casque. C'est de lui que ce casque me
vient. En le touchant, j'éprouve une force divine, et le courage
des chérubins pénètre mon cœur. Ce sentiment m'entraîne dans
le tumulte de la guerre et me pousse avec la force de l'orage.

De même dans *Girard de Viane,* Roland et Olivier se battent quand :

Soudain, une clarté resplendit dans les airs ; ils lèvent les yeux
tous deux, muets et tremblants. Il leur semble voir un ange
descendre du ciel devant eux : « Barons, entendent-ils, honneur
vous soit rendu ! Vous avez lutté sans défaillance tout le jour,
mais c'est ailleurs qu'il faut montrer votre vaillance. Faites
la paix ! L'empire a comme voisins des peuples mécréants et
fiers, les Sarrasins ; unissez-vous, et déployez votre force contre
eux ; conquérez l'Italie et l'Espagne ; vous aurez leur royaume,
leur butin ; ainsi, vous hausserez le destin de vos armes, et
Dieu vous mettra dans sa gloire. »

Les songes, qui avaient tant intrigué les Anciens, sont un des moteurs
des épopées médiévales. Dans *Girard de Viane,* c'est encore Charlemagne qui est visité par ce songe :

Ayant bien combattu, l'empereur Charlemagne encore non
réveillé repose sous sa tente, allongé sur son lit ; et voilà qu'il
lui vient un songe merveilleux : il se voit, au bord d'un fleuve,
à cheval et devisant avec un courtisan, quand soudain un
faucon s'échappe de la ville (de Vienne), fend l'espace et vient
s'abattre dans la grande île. Or Charlemagne a lui-même sur
le poing un vautour, qui se précipite sur le faucon ; et les
deux oiseaux s'entrebattent de leurs serres cruelles avec de
grands claquements d'ailes, et Charlemagne a grand peur pour
l'oiseau qu'il chérit ; il conjure le ciel, si fort, que les deux
adversaires se font grande joie, et qu'il semble qu'ils vont se
baisant et faisant la paix ensemble. Charles se réveille, tout
ému, suppliant Dieu que le songe tourne selon son vœu ; puis
il fait appeler un maître en cette science, et lui conte son rêve ;
le maître fut fort joyeux de ce récit : « Ne craignez rien, sire,
car en voici le sens : ce faucon qui sortait de la ville de Vienne,
c'est le comte Olivier, fils de Rainier de Gênes, qui se rendra
dans l'île et combattra Roland, venant tirer l'épée contre
Olivier. Au cours d'un rude combat, tous deux se blesseront

l'un l'autre grièvement; puis ils feront la paix et deviendront amis. » Et le roi fut joyeux de cet heureux présage.

On peut rapprocher tous ces textes sur les songes, apparitions ou présages de la Bible, notamment du livre de Daniel, de l'Apocalypse de saint Jean... Ou bien de textes plus récents, tels *la Pucelle* de Chapelain, *Athalie* de Racine.

> Quelle atmosphère ces épisodes donnent-ils au récit? Que peut-on en déduire sur la foi et le sentiment religieux au Moyen Age? Et que pensez-vous de ces réflexions de Daniel-Rops dans *l'Eglise de la cathédrale et de la croisade* :

C'est se condamner à ne comprendre rien aux hommes ni aux événements du Moyen Age que perdre de vue, un seul instant, que tout et tous n'existent qu'en fonction de la foi chrétienne. Elle est la pierre angulaire de l'édifice. [...] Du plus humble au plus grand une société entière croit.

> Et plus loin :

Puisqu'il est certain que l'explication ultime de la vie est par-delà la vie, surnaturelle, qu'elle relève de mystère, pourquoi s'étonnerait-on que le mystérieux fût partout, que le surnaturel se révélât en tout?

Vauquelin de La Fresnaye (*Art poétique français*) :

Hé! quel plaisir serait-ce à cette heure de voir
Nos poètes chrétiens les façons recevoir
Du tragique ancien? Et voir à nos mystères
Les païens asservis sous les lois salutaires
De nos Saints et Martyrs, et du vieux testament
Voir une tragédie extraite proprement?
Et voir représenter aux fêtes de village,
Aux fêtes de la ville en quelque échevinage,
Au saint d'une paroisse, en quelque belle nuit,
De Noël, où naissant un beau Soleil reluit,
Au lieu d'une Andromède au rocher attachée,
Et d'un Persée qui l'a de ses fers relâchée,
Un saint Georges venir bien armé, bien monté...

Et aussi :

Plût au ciel que tout bon, tout chrétien et tout saint
Le Français ne prît plus de sujet qui fût feint!
Les anges par milliers, les âmes éternelles
Descendraient pour ouïr ses chansons immortelles!

> Mais le merveilleux, le surnaturel, les grandes épopées chrétiennes verront leur plus farouche défenseur au XIXe siècle, avec Chateaubriand et le *Génie du christianisme*.

JUGEMENTS SUR « LA CHANSON DE ROLAND »

*Il y a, pendant toute **la période classique,** non seulement une igno-
rance complète de la littérature médiévale, mais aussi un refus de connaître
des textes considérés comme dépourvus de toute valeur. D'une façon
générale, on juge en effet que le Moyen Age est une période « gothique »,
c'est-à-dire restée sous l'influence barbare. Parmi les arguments qui
condamnent particulièrement les œuvres littéraires, on affirme qu'il est
impossible de voir naître des chefs-d'œuvre, tant que la langue n'a
pas été épurée et fixée.*

*Dans l'Art poétique, **Boileau** écrit :*

      Sans la langue en un mot l'auteur le plus divin
      Est toujours, quoi qu'il fasse, un méchant écrivain.

*Dans les Réflexions sur Longin, il affirme qu'une œuvre durable
n'est possible que si la langue atteint un certain point de solidité et
de perfection (septième réflexion).*

***Bossuet** est exactement du même avis : On ne confie rien d'immortel
à des langues incertaines et toujours changeantes (Discours de
réception à l'Académie française).*

*Le XVIIIe siècle persiste à ignorer et à mépriser. **Voltaire,** dans l'article
Épopée de l'Encyclopédie, ne développe pas en somme des vues plus
larges que Boileau. Il en est de même pour Buffon : Les ouvrages
bien écrits seront les seuls qui passeront à la postérité. (Discours
de réception à l'Académie française.)*

*Le XIXe siècle et le mouvement romantique remettent à l'honneur le
Moyen Age. La publication des chansons de geste et notamment du
texte original de la Chanson de Roland suscite une admiration qui
se prolonge pendant tout le siècle. On admire la beauté et la force des
sentiments (patriotisme, honneur chevaleresque, foi chrétienne), mais
le préjugé classique reste assez fort pour qu'on trouve toujours des
restrictions sur les qualités poétiques et le style de la Chanson. On ne
saurait imaginer que cette œuvre « populaire » puisse être mise en
parallèle avec la poésie d'Homère et de Virgile.*

Que la liberté est féconde! Voilà que les pierres se font hommes;
les enfants multiplient sans nombre; les peuples grouillent de la
terre. Et ce n'est pas seulement le nombre qui croît, mais le cœur
augmente, la vie forte et l'inspiration. On ne veut pas seulement
faire de grandes choses, on veut les dire. Le guerrier chante ses
guerres. C'est ce que dit encore très expressément le chroniqueur :
« Les preux chantaient. » Qu'on n'espère pas me faire croire que
le jongleur mercenaire qui chante au XIIe siècle, que le chapelain
domestique qui écrit au XIIIe siècle, soient les auteurs de pareils
chants. Dans le plus ancien qui nous reste, la sublime

Chanson de Roland, quoique nous ne l'ayons encore que dans sa forme féodale, j'entends la forte voix du peuple et le grave accent des héros.

La pénétrante critique de l'éditeur a démêlé qu'elle est antérieure aux croisades, antérieure à l'âge des poèmes composés dans les châteaux pour l'amusement du baron. Le caractère de ceux-ci, tels que *les Quatre Fils Aymon,* est la haine de la royauté et du gouvernement central; ils portent tout l'intérêt sur le vassal révolté. Charlemagne y est un sot; il est le jouet d'un sorcier. Triste majesté qui dort sur son trône, la tête couronnée d'un torchon, et s'éveille, aux rires de la cour, pour voir en sa main une bûche éteinte au lieu de l'épée de l'Empire. Ce sont là des choses trouvées en pleine féodalité pendant le sommeil de la royauté. Au contraire, dans le X⁰ siècle, dans le grand combat contre les barbares, on regrette, on admire et bénit l'ancienne unité impériale. Rien entre l'empereur et le peuple. Les Roland, les Olivier, n'en sont nullement séparés; ils ne sont que le peuple armé. C'est ce qui fait la grandeur étonnante de ce poème.

Jules Michelet,
Histoire de France.

La France, la douce France, si souvent invoquée dans *la Chanson de Roland,* l'amour de la patrie, le dévouement à la mère commune, ces nobles sentiments qui répandent sur tout le poème je ne sais quel coloris tendre et mélancolique, c'est quelque chose qui n'appartient qu'à cette chanson de geste, et qui, à défaut d'autres signes, la distinguerait entre toutes.

Auguste Vitet,
Revue des Deux Mondes (1852, t. XIV).

Otez le merveilleux — et encore, pourquoi l'ôter? c'est une partie de l'âme de l'auteur — je ne sache pas, parmi les morts héroïques, une plus belle mort que celle de Roland. Si *la Chanson de Roland* est née d'une légende populaire, quel honneur cette légende ne fait-elle pas aux mœurs et aux sentiments de l'époque qui l'a tenue pour vraie! Quel beau type ne s'y faisait-on pas du preux! A toutes les qualités du guerrier féodal, force, vaillance, générosité, foi en Dieu, fidélité au suzerain, amour du pays, Roland joint la plus belle des qualités de l'homme fort : c'est un doux. Il fait, il dit toutes choses « dulcement et suef » [...]. Roland est doux parce qu'il est bon. La douceur est chez lui la grâce de la bonté; et cette bonté, à son tour, est celle de l'âme humaine, depuis que le christianisme y a mis une lumière et un sentiment de la bonté divine. S'il ne manquait à tout cela la suprême convenance d'une langue mûre, on n'imaginerait pas une plus grande figure épique.

Désiré Nisard,
Histoire de la littérature française (1861).

Quel chef-d'œuvre brut que ce poème qui se dégage d'un idiome inculte, comme le lion de Milton des fanges du chaos! C'est l'enfance de l'art, mais une enfance herculéenne et qui d'un bond atteint au sublime.

Paul de Saint-Victor,
Hommes et dieux (1872).

Au milieu de ce concert de louanges, auquel participent les romantiques, mais aussi des esprits très classiques comme Nisard, il est curieux de remarquer qu'un critique comme Brunetière reste irréductiblement hostile à un poème, dont il n'apprécie ni l'esprit ni la forme.

La langue est dure, dure à l'oreille, dure à la gorge; et il n'est pas jusqu'aux plus belles pensées qu'elle ne marque à son caractère de rudesse et de barbarie :

> Frappe de ta lance, Olivier, et moi de Durendal,
> La bonne épée que me donna le roi.
> Et si je meurs, qui l'aura pourra dire :
> C'était l'épée d'un brave.

Quand le cri de Roland serait plus fier, plus généreux encore, qui ne conviendra qu'il perdrait et qu'il perd toute sa beauté dans l'étrange cacophonie de l'original :

> Se jo i moerc, dire poet qui l'avrat
> Que ele fut à nobilie vassal?

Et que l'on ne dise pas que nous avons la partie belle à juger ainsi d'une oreille toute moderne une langue dont nous ne connaissons ni ne pouvons connaître l'exacte prononciation. Prononcerions-nous donc par hasard le latin comme à Rome, ou mettrions-nous sur le grec l'accent des fruitières d'Athènes? Je défie cependant qu'une oreille, même inexercée, méconnaisse le rythme d'une période cicéronienne ou l'harmonie de vingt vers d'Homère.

En second lieu, rien de plus monotone que la versification de ces interminables poèmes, rien de traînant comme ces couplets *assonancés*, comme ces *laisses* inégales où le rythme s'en va cahotant, où les consonnes se heurtent et s'entrechoquent avec un bruit de mauvais allemand, où le nombre même des vers ne semble avoir en vérité d'autre mesure que la longueur d'haleine du jongleur [...].

Le poème est assez mal composé : la *Chanson* n'a pas de commencement, car la trahison de Ganelon y est sans cause et même sans prétexte; elle n'a pas de fin, car la victoire de Charlemagne y demeure quasiment sans effet; elle n'a pas de centre, car la mort de Roland n'y occupe pas plus de place que la bataille de Charlemagne contre les Sarrasins [...]. Ajoutez que les personnages ne vivent pas. Les Olivier et les Turpin de France n'y diffèrent que par le nom des Estorgant et des Estramarin d'Espagne. Les uns jurent par Mahum et Tervagant, les autres par Diex l'Espirital : c'est leur seule caractéristique. Elle est de pure forme. Au fond, ils respirent tous la même valeur féroce et brutale, ils ont tous la même valeur insultante et bravache, ils déchargent tous les mêmes grands coups d'épée. Et je cherche consciencieusement tout ce que toutes les préfaces m'assuraient que je trouverais en eux, des soldats qui combattent pour les autels et les foyers de la patrie, des chrétiens qui meurent pour leur Dieu ; mais dans les « eschieles » de l'armée de « nostre emperere magnes », comme « dans l'ost des païens d'Arabie », je ne vois que de hardis avanturiers, violents et sanguinaires, qui ne croient qu'à deux choses au monde : le trempe d'un glaive enchanté, la vertu d'une bonne armure.

Et rien d'humain ne bat sous cette épaisse armure, rien, que l'intraitable et risible orgueil du barbare et son arrogante confiance dans la vigueur de son bras.

Quant à la *vivifiante* inspiration chrétienne, dans ces interminables récits de combats qui remplissent la meilleure partie du poème, c'est avoir de bons yeux que de l'y discerner. Eh oui! je sais que Charlemagne adresse quelque part une prière au Dieu de Jonas et de Daniel, je sais qu'il fait solennellement baptiser dans Aix-la-Chapelle Bramimonde, la reine païenne ! Mais on me permettra de ne pas oublier que, pour le faire passer à l'action et le lancer contre l'infidèle, il ne faut rien moins que l'intervention de Gabriel archange. Encore le premier mot du triste sire est-il là-dessus pour s'écrier que « sa vie est peineuse », comme son premier mouvement pour « pleurer des yeux » et s'arracher la barbe, à poignées, sa belle barbe *fleurie* tout le long du poème, et blanche maintenant d'épouvante : c'est même sur l'expression de ces nobles sentiments que finit la chanson :

> Pluret des oilz, sa barbe blanche tiret...
> Ci falt la geste que Turoldus declinet.

Je ne pense pas que ce soit là le véritable esprit du christianisme.

Ferdinand Brunetière,
Études critiques sur l'histoire de la littérature française
(1882, 1re série).

Le cas de Brunetière est cependant singulier, et cette fidélité à la théorie de Boileau apparaît, à la fin du XIXe siècle, comme une réaction un peu démodée. En fait, la critique moderne aura de plus en plus tendance non seulement à apprécier la valeur de l'inspiration qui anime la Chanson, mais encore à y découvrir des beautés littéraires, qu'on n'avait pas décelées jusque-là. On est aussi amené à reconnaître le génie propre d'un poète créateur de l'œuvre et à ne plus juger la Chanson de Roland en fonction des critères qui convenaient aux poèmes homériques ou à l'Enéide.

Avec ses défauts de composition, qui tiennent à son lent *devenir*, et ses faiblesses d'exécution [...], *la Chanson de Roland* n'en reste pas moins un imposant monument du génie français, auquel les autres nations modernes ne peuvent rien comparer. Elle nous montre, à plus de mille ans en arrière, le sentiment puissant et élevé d'un patriotisme que l'on croit souvent de date plus récente, et une conscience de l'unité nationale qu'aucun peuple ne possédait alors et qui, en passant de plus en plus des idées dans les faits, a fondé la France moderne; elle y joint comme inspiration profonde le plus pur sentiment du devoir et le culte exalté, excessif même, mais d'autant plus touchant, de l'honneur. Dans sa grandeur simple et un peu sèche, dans sa conception exclusive et presque abstraite de la vie, dans son émotion contenue, mais souvent saisissante, dans son entente déjà remarquable de la mise en scène, elle nous apparaît à la fois comme le premier et comme le plus purement national des chefs-d'œuvre de l'art français. Elle se dresse à l'entrée de la voie sacrée où s'alignent depuis huit siècles les monuments de notre littérature comme une arche haute et massive, étroite si l'on veut, mais grandiose, et sous laquelle nous ne pouvons passer sans admiration, sans respect et sans fierté.

Gaston Paris,
Extraits de « la Chanson de Roland » (1888, Préface).

Bien souvent on a comparé non seulement Achille et Patrocle d'un côté, Roland et Olivier de l'autre, mais Agamemnon et Charlemagne, qui, dans les épopées, a plus d'une fois, avec la majesté, l'orgueil facilement irritable du roi des rois; Nestor et le vieux Naimes, conseiller prudent, à qui son expérience donne le droit de parler haut; Ajax et Ogier, soldat impétueux plus que fin, et qui va droit devant lui sans s'inquiéter des traits qui pleuvent sur sa tête. On est allé jusqu'à comparer au devin Calchas l'évêque Turpin, qu'une telle comparaison eût étonné sans doute. Il convient de ne pas insister sur ce parallèle, plus facile que probant. Ce qui est vrai, c'est qu'à toutes les époques primitives, les caractères sont d'une simplicité extrême qui confine parfois à la monotonie. Peu ou point de nuances; rien qu'un certain nombre de traits élémentaires, plus ou moins fortement accusés. Il n'est donc pas surprenant que ces caractères, si peu nombreux, soient analogues, sinon identiques entre eux, et que l'on constate, par exemple, la même rudesse chez les héros grecs et francs. Mais, dans les épopées carolingiennes, cette rudesse va rarement jusqu'à la férocité. Est-ce le christianisme seulement qui la contient et l'adoucit ? C'est aussi un double sentiment, inconnu ou mal connu des anciens : le sentiment de l'amour chevaleresque qui déjà se montre à travers beaucoup d'éclipses et qui exalte les héros, sûrs d'être admirés

d'autant plus qu'ils seront aimés; le sentiment de l'homme chevaleresque qui fait la supériorité *morale* des épopées françaises.

Félix Hémon,
Cours de littérature. La Chanson de Roland (1889).

Nulle intention littéraire, nul souci de l'effet ne gâtent l'absolue
simplicité du récit. Le style, tel quel, purement déclaratif, ne s'in-
terpose pas entre l'action et les vers : nulle invention verbale,
nulle subjectivité personnelle n'adhère aux faits. Détachée à l'instant des mots qui nous les apportent, leur image réelle subsiste
seule en nous : ils s'ordonnent d'eux-mêmes en une vision étrangement nette et objective : on ne *lit* pas, on *voit*. Et nulle âme que
l'âme même des faits ne nous parle et ne nous émeut. Ils surgissent
l'un après l'autre, évoqués par l'expression simple et directe, depuis
la préparation de la trahison, à travers la symétrie un peu gauche
de la bataille, jusqu'à la riche, ample et lente narration de la mort
du héros; les adieux de Roland et d'Olivier, la dernière bénédiction de Turpin, Roland essayant de briser son épée, battant sa
coulpe, tendant son gant à Dieu son Seigneur, et rendant enfin
son âme aux mains de saint Gabriel : toute cette partie est d'un
pathétique naturel, élevé, sobre, vraiment puissant. Je ne fais pas
de comparaison : cela est simplement beau. Il n'est pas jusqu'à la
forme que le mouvement et la grandeur du récit n'emportent et
n'élèvent. Et surtout le rythme grossier est expressif : ce n'est pas
le déroulement magnifiquement égal de l'alexandrin homérique; dis-
tribuée à travers ces couplets qui la laissent tomber et la reprennent,
rétrogradant et redoublant sans cesse pour se continuer et se
compléter, la narration s'avance inégalement et, de *laisse* en *laisse*,
d'arrêt en arrêt, monte comme par étages; et cette discontinuité
même devait, semble-t-il, communiquer une dramatique intensité à
la déclamation du jongleur.

Gustave Lanson,
Histoire de la littérature française (1894).

Ce que (le *Roland*) nous offre de nouveau est principalement
dû à l'étonnante personnalité de son auteur. Ce sont ces inventions
géniales, ce sont ces épisodes qu'il n'emprunte à personne et qu'il
trouve dans le seul trésor de sa belle imagination. La part du génie
est considérable dans cette œuvre traditionnelle. C'est lui, c'est
notre poète qui a imaginé sans doute de commencer sa chanson
par un message du roi Marsile; c'est lui qui a créé cette scène incom-
parable où l'orgueil de Roland se refuse à sonner du cor; c'est à lui
qu'est due cette place prépondérante qu'occupe Olivier près de
Roland, et qui a dessiné la charmante figure de ce frère d'armes de
notre héros qui ressemble au Curiace de notre Corneille et représente si bien la vaillance tranquille à côté de la bravoure affolée :
Rollanz est preuz e Olivier est sages; c'est lui, c'est encore lui, qui a

tiré de son cerveau le récit des présages lugubres qui annoncent la mort de Roland; c'est lui, c'est toujours lui qui a probablement imaginé la mort de la belle Aude, de cette fiancée sublime qui ne saurait survivre à un homme tel que Roland, et qui meurt en apprenant sa mort. Et c'est à lui enfin qu'il faut faire honneur du dénouement du poème, de la forme solennelle qui est donnée à la condamnation de Ganelon, et de ces derniers vers où Charlemagne en larmes regrette de ne pouvoir goûter ici-bas un instant de repos :

> Deus, dist li Reis, si penuse est ma vie !

[...] Qui dit « terne » dit « monotone » et l'on n'a pas épargné cette critique au *Roland*. Il suffit de jeter les yeux sur le vieux poème, pour se convaincre de l'injustice d'un tel reproche. Sans doute les récits de bataille y occupent trop de place; mais il me paraît à première vue qu'ils ne sont guère moins développés dans l'*Iliade*. Puis il n'y a pas que des batailles dans le *Roland*. Il y a cette belle scène du Conseil tenu par Charlemagne où se révèle pour la première fois le caractère de tous les héros : il y a le récit si habilement nuancé de la chute de Ganelon; il y a les épisodes du cor, de la dernière bénédiction de l'archevêque, du soleil arrêté par Charlemagne; il y a la mort de la belle Aude, le grand duel entre Pinabel et Thierry et l'horrible supplice de celui qui a trahi Roland. Tout cela n'est ni monotone ni terne. Ajoutons ici que l'on ne trouve pas, dans la plus antique de nos chansons, l'abus de ces phrases toutes faites, de ces épithètes homériques, de ces « clichés » enfin qui rendent si fatigante la lecture de nos poèmes plus récents. Quant à prétendre que le *Roland* « manque de véritable poésie », j'imagine que l'éminent érudit qui s'est naguères rendu coupable d'une telle accusation la regrette aujourd'hui. Pas de véritable poésie! Mais il faudrait au préalable définir ce qu'on entend par là. Il est trop vrai (et on l'a observé avant nous) qu'on ne trouve dans ces quatre mille vers qu'une seule comparaison :

> Si cum li cerfs s'en vait devant les chiens
> Devant Roland si s'enfuient païen.
> (Vers 1874-75.)

Mais la poésie « véritable » ne se compose peut-être pas que de ce seul élément, et il faut encore tenir en quelque estime la couleur, le rythme et surtout la hauteur de la pensée.
[...] La langue de notre épopée primitive est d'une simplicité qui ne satisfait pas les rhéteurs. Les uns la voudraient plus étoffée, les autres, plus fine. Cette langue est *une*, en effet; elle n'a pas été forgée deux fois, par le peuple d'abord et ensuite par les savants. C'est un franc-parler et sans alliage. A ceux qui aiment la phrase longue, il ne faut pas demander d'admirer celle de nos poètes, qui ne dépasse pas souvent les limites d'un vers de dix ou de douze syllabes. Pas d'incidentes : un substantif, un verbe, un régime. On a déjà observé avant nous qu'on y rencontre rarement le subjonctif,

le conditionnel ou l'imparfait. C'est une suite de constatations brèves. Je ne pense pas d'ailleurs que l'auteur d'*Ogier* ou celui de *Roland* se soit dit une seule fois que l'harmonie est la loi du vers. Ils ont le sentiment du rythme; mais rien de plus. S'il est vrai que la poésie se compose d'un élément pittoresque et d'un élément musical, ils n'ont guère connu que le premier. Encore la nomen-clature de leurs images est-elle assez restreinte. Mais tant de défauts sont largement compensés par une belle vigueur et une clarté sans seconde. Un mot dit tout : c'est du français.

Petit de Julleville,
Histoire de la langue et de la littérature françaises
(tome Ier, 1896).

La Chanson de Roland est le monument d'une imagination vigou-reuse et d'un art insuffisant.

René Doumic,
Histoire de la littérature française (1900).

Les chansons de geste, et surtout *la Chanson de Roland*, sont vraiment de grandes œuvres. Ni profondes ni riches, comme toute cette littérature du Moyen Age, mais puissantes par la simplicité même de l'idéal qui les pénètre et qui les exalte. La femme n'y joue presque aucun rôle; il semble que l'on ignore tous les drames du cœur. La nature n'y apparaît pas; la pensée humaine ne dépasse pas la vie humaine. Mais cette vie est asservie magnifiquement à d'héroïques devoirs. *Il faut combattre pour son Dieu* contre l'infidèle et combattre avec un mépris souverain du risque. Pour Dieu et pour son honneur, *il faut être preux*, c'est-à-dire affronter le péril avec d'autant plus d'allégresse qu'il est plus menaçant. Et c'est pourquoi, à un contre cent, Roland, cerné dans Roncevaux, ne sonnera pas de son cor pour appeler Charlemagne. Le preux sera, bien souvent, un violent ou un forcené, mais il s'humiliera quelque jour devant Dieu; et la violence de son repentir surpassera la bru-talité de ses forfaits [...]. Ainsi à travers les chansons de geste circule une volonté hautaine, une puissance épique. Et dans les meilleures, surtout dans *la Chanson de Roland, cette puissance trouve pour s'exprimer le pathétique qui lui convient* pour ces grands desseins si simples — se battre et mourir —, de brèves paroles, de brèves prières, de grands gestes simples : des élans de combattants, des résignations de mourants, Roland qui reste seul, qui se sent mourir, qui se couche, prie et meurt. Ce sont vraiment de grandes fresques d'héroïsme.

Daniel Mornet,
Précis de littérature française (1925).

SUJETS DE DEVOIRS ET D'EXPOSÉS

NARRATIONS

● Un valet d'armée, revenant d'Espagne où il prit part à une campagne contre les Sarrasins, raconte aux gens de son village ce qu'il a vu et entendu tout le long de la route qui l'a conduit de Blaye à Roncevaux et au-delà.

● Présentez sous forme de complainte les adieux funèbres de Charles et des barons à la belle Aude à qui ils viennent de rendre les suprêmes honneurs.

● Pinabel vient d'être désigné pour combattre, comme champion de Ganelon, Thierry, champion de Roland. Tandis qu'on lui apprête ses armes, il s'affirme à lui-même que son devoir lui commandait bien de se porter caution de son parent, mais il craint que, malgré son courage, le jugement de Dieu ne soit pas favorable à sa cause. Décrivez la scène (les guerriers, le champ clos...), et exprimez les réflexions de Pinabel.

● Dans son château, avant de partir pour la croisade d'Orient, un chevalier se fait réciter des fragments de *la Chanson de Roland*. Décrivez la scène.

● « Roland est preux et Olivier est sage. » Faites, en un diptyque, le portrait des deux amis.

● Aude, à Aix-la-Chapelle, où le retour de Charlemagne et de son armée est annoncé, attend. Quels sont ses sentiments, ses réflexions intérieures ?

● Rentrés d'Espagne, les barons, réunis dans la galerie du palais de Charlemagne, à Aix-la-Chapelle, discutent du procès de Ganelon qui va s'ouvrir. Que s'est-il passé exactement ? Ganelon a-t-il réellement manqué à ses devoirs de chevalier ? Les avis sont partagés.

● A l'abbaye de Roncevaux, sur la route de Saint-Jacques-de-Compostelle, un clerc évoque l'affaire de Roncevaux. Il y a là des chevaliers, des marchands, des vilains. Ils échangent leurs impressions.

LETTRES

● Le P. Lemoyne (1602-1672), fâché des critiques dont on accablait son poème épique de *Saint Louis*, écrit à son ami le comte de Bussy-Rabutin : il lui explique pourquoi il a choisi un sujet chrétien et national ; d'autre part, ajoute-t-il, « les seuls noms des sultans et des Sarrasins remplissent l'oreille ; la seule peinture de leurs armes surprend la vue et met dans l'esprit des images qui l'étonnent » (Préface). Au surplus il a, dit-il, un sûr garant, un poème que l'on a composé autrefois sur *Roland*; il connaît ce poème bien imparfaitement, mais le peu qu'il sait des personnages et des récits suscite en lui une profonde admiration.

● Sainte-Beuve, qui, voici quelques années, a « découvert » Ronsard, écrit à un ami : il vient de lire pour la première fois le texte de *la Chanson de Roland* et se félicite qu'on ait ainsi ressuscité un aussi beau poème; il expose les motifs de son admiration.

● Un de vos amis vient de visiter le champ de bataille de Roncevaux; il vous écrit pour vous conter ses impressions. C'est sa lettre que vous nous communiquez.

● Deux de vos amis vous ont pris pour arbitre : l'un voudrait avoir été Roland, l'autre Olivier. Vous donnez votre avis dans une lettre.

EXPOSÉS ET DISSERTATIONS

● « Cependant les nations commencent à être trop serrées sur le globe. Elles se gênent et se froissent; de là les chocs d'empires, la guerre. Elles débordent les unes sur les autres; de là les migrations de peuples, les voyages. La poésie reflète ces grands événements; des idées elle passe aux choses. Elle chante les siècles, les peuples, les empires. Elle devient épique, elle enfante Homère » (Préface de *Cromwell*). Peut-on appliquer cette vue de V. Hugo à la genèse de *la Chanson de Roland* ?

● Commentez ce jugement de Renan : « L'épopée disparut avec l'âge de l'héroïsme individuel : il n'y a pas d'épopée avec l'artillerie » *(Dialogues philosophiques)*.

● « Les Français n'ont pas la tête épique. » Cet arrêt formulé par M. de Malézieux et rapporté par Voltaire (*Essai sur la poésie épique*, conclusion) vous paraît-il encore exact après la découverte de *la Chanson de Roland* et la lecture particulière que vous avez pu en faire ?

● Développez ce jugement de G. Paris : « *La Chanson de Roland* se dresse à l'entrée de la voix sacrée où s'alignent depuis huit siècles les monuments de notre littérature comme une arche haute et massive, étroite si l'on veut, mais grandiose et sous laquelle nous ne pouvons passer sans admiration, sans respect et sans fierté » (*Extraits de « la Chanson de Roland »*, p. XXX.)

● Comparant *la Chanson de Roland* et *l'Iliade*, M. Levrault (*Auteurs français*, p. 13) écrit : « C'est moins humain, c'est moins parfait de forme, et autant vaudrait opposer une raide statue du Moyen Age à quelque fine statue amoureusement sculptée par un artiste athénien. » Partagez-vous cette opinion ?

● « C'est au pire dommage de la littérature classique, de la littérature du XVIᵉ, du XVIIᵉ et du XVIIIᵉ siècle que l'on poursuit depuis quelques années cette glorification systématique et outrée de la langue et de la littérature du Moyen Age » (Brunetière, *Études critiques*, Iʳᵉ série, 1893, p. 11). Acceptez-vous ce jugement, ou ne pensez-vous pas, au contraire, que *la Chanson de Roland* satisfait par bien des côtés aux exigences de l'esprit classique qu'elle annonce sans lui nuire ?

● Etudiez la part et le rôle du merveilleux chrétien dans *la Chanson de Roland* et discutez à ce sujet la condamnation portée par Boileau (*l'Art poétique*, III, vers 193 et suiv.) contre le merveilleux chrétien.

● Dégagez les idées et les sentiments que reflète *la Chanson de Roland* et déterminez la valeur morale du poème.

● Etudiez la peinture des caractères dans *la Chanson de Roland* ; déterminez quelle conception psychologique est celle de l'auteur ; montrez quel est l'art du poète dans la présentation de ses personnages.

● Le personnage de Charlemagne : dégagez ses principaux traits et montrez quel a été le travail de la légende.

● Etudiez le personnage de Roland comme type de création littéraire.

● Achille, Roland, Rodrigue : montrez que ces trois héros, malgré certaines ressemblances, représentent trois moments différents de la civilisation.

● Faites le portrait du chevalier du VIIIᵉ siècle tel que le voit le poète à la fin du XIᵉ siècle et tel qu'il fut réellement.

● Les institutions, les mœurs et les coutumes dans *la Chanson de Roland* : la fantaisie et l'histoire.

● Dans quelle mesure peut-on rapprocher *la Chanson de Roland* et *les Martyrs* de Chateaubriand ? Ces deux compositions n'offrent-elles pas le tableau d'une large bataille où se heurtent deux religions et deux civilisations ?

● L'art oratoire dans *la Chanson de Roland* : montrez que dans les deux camps les guerriers parlent aussi bien qu'ils frappent.

● Montrez comment dans les récits la rudesse de la langue et la simplicité du style concourent à l'effet recherché par l'auteur.

● La recherche du pathétique et les moyens poétiques dans *la Chanson de Roland*.

● Dégagez ce que, selon vous, il y a de poétique dans la *Chanson* ; déterminez la nature et les caractères de la *poésie*.

● Comparez le récit de la mort d'Aude et *la Fiancée du timbalier* (V. Hugo, *Odes et ballades*) : l'inspiration et les moyens d'exécution.

● Montrez comment Vigny, bien qu'il ne connût pas la vraie *Chanson de Roland*, a réussi dans *le Cor* (*Poèmes antiques et modernes*) « à rendre à l'antique légende quelque chose de sa couleur » (E. Faral, *la Chanson de Roland*, 297).

● Etudiez l'influence des chansons de geste et particulièrement de *la Chanson de Roland* sur V. Hugo (voir *Aymerillot*, *le Mariage de Roland*, *le Petit Roi de Galice*, *Eviradnus* dans *la Légende des siècles*).

● En vous servant d'exemples tirés du texte même de *la Chanson de Roland*, montrez la justesse de cette appréciation de J. R. Chevaillier : « L'action de *la Chanson de Roland* est conduite non par des combinaisons fortuites mais par le seul jeu des caractères. C'est déjà de l'art classique, du grand art. »

● Commentez ce jugement d'E. Faral : « La conception que le poète du *Roland* se faisait de l'effet littéraire le portait beaucoup moins à suivre les événements dans la continuité de leur succession qu'à s'attarder aux circonstances les plus importantes et les plus poignantes du drame. »

● Que pensez-vous de la conclusion que tire P. Le Gentil de son étude sur *la Chanson de Roland* : « Elle est plus dramatique que narrative, et c'est sans doute ce qui la rend si constamment pathétique »?

● Commentez ce jugement de P. Le Gentil : « Une telle succession d'images animées, sonores et dramatiques, évoque inévitablement la technique du cinéma moderne : de part et d'autre, même découpage de l'action, mêmes changements de perspective, mais aussi même convergence de tous les moyens et de tous les effets en vue de créer l'illusion totale de la vie. »

TABLE DES MATIÈRES

Mame Imprimeurs - 37000 Tours.
Dépôt légal Septembre 1972. – Nº 20538. – Nº de série Éditeur 14563.
IMPRIMÉ EN FRANCE (Printed in France). – 870 025 G Juin 1988.

un dictionnaire de la langue française pour chaque niveau :

NOUVEAU DICTIONNAIRE DU FRANÇAIS CONTEMPORAIN ILLUSTRÉ

sous la direction de Jean Dubois

• 33 000 mots : enrichi et actualisé, tout le vocabulaire qui entre dans l'usage écrit et parlé de la langue courante et que les élèves doivent savoir utiliser à l'issue de la scolarité obligatoire.
• 1 062 illustrations : un apport descriptif complémentaire des définitions et qui permet l'introduction de termes plus spécialisés n'appartenant pas au vocabulaire courant ou ne nécessitant pas d'explication autre que celle de l'image.
• Un dictionnaire de phrases autant qu'un dictionnaire de mots, comme dans l'édition précédente, selon les mêmes principes de description du lexique et du fonctionnement de la langue.
• Le dictionnaire de la classe de français (90 tableaux de grammaire, 89 tableaux de conjugaison).

Un volume cartonné (14 × 19 cm), 1 296 pages.

LAROUSSE DE LA LANGUE FRANÇAISE lexis

sous la direction de Jean Dubois

Avec plus de 76 000 mots des vocabulaires courant, classique et littéraire, technique ou scientifique , c'est le plus riche des dictionnaires de la langue en un seul volume.
Par la diversité de ses informations sur les mots, par la construction raisonnée de ses articles et par son dictionnaire grammatical, c'est un instrument de pédagogie active : il s'adresse aussi à tous ceux qui veulent comprendre le fonctionnement de la langue et acquérir la maîtrise des moyens d'expression.

Nouvelle édition illustrée : un volume relié (15,5 × 23 cm), 2 126 pages dont 90 planches d'illustrations par thèmes.

GRAND LAROUSSE DE LA LANGUE FRANÇAISE

7 volumes sous la direction de L. Guilbert, R. Lagane et G. Niobey; avec le concours de H. Bonnard, L. Casati, J.-P. Colin et A. Lerond

Un dictionnaire unique parce qu'il réunit :
• la description la plus complète du vocabulaire général, scientifique et technique, classique et littéraire, avec prononciation, syntaxe et remarques grammaticales, étymologie et datations, définitions avec exemples et citations, synonymes, contraires, etc.;
• la documentation la plus riche sur la grammaire et la linguistique : près de 200 articles (à leur ordre alphabétique) donnant une analyse détaillée des diverses théories, passées ou actuelles, sur les principaux concepts grammaticaux et linguistiques;
• un traité de lexicologie exposant les principes de la formation des mots et la construction des unités lexicales.

7 volumes reliés (21 × 27 cm).